D1268099

Entre deux mers, voyage au bout de soi

DU MÊME AUTEUR

Société et révolution biologique. Pour une éthique de la responsabilité, INRA Éditions, 1996.

Copies conformes. Le clonage en question (avec Fabrice Papillon), NiL, 1998 ; Pocket, 1999.

La Médecine du XXIe siècle. Des gènes et des hommes (avec Dominique Rousset), Bayard, 2000.

Et l'homme dans tout ça ? Plaidoyer pour un humanisme moderne, NiL, 2000 ; Pocket 2004.

L'avenir n'est pas écrit, avec Albert Jacquard, Bayard, 2001 ; Pocket, 2004.

Raisonnable et humain ? NiL, 2004 ; Pocket, 2006.

Bioéthique et liberté (avec Dominique Lecourt), PUF, 2004.

Doit-on légaliser l'euthanasie ? (avec André Comte-Sponville et Marie de Hennezel), Éditions de l'Atelier, 2004.

Le Secret de la salamandre. La médecine en quête d'immortalité (avec Fabrice Papillon), NiL, 2005 ; Pocket, 2007.

Comme deux frères. Mémoire et visions croisées (avec Jean-François Kahn), Stock, 2006 ; Points Seuil, 2007.

L'Homme, ce roseau pensant. Essai sur les racines de la nature humaine, NiL, 2007 ; Pocket, 2008.

Vivre toujours plus ? Le philosophe et le généticien (avec Roger-Pol Droit), Bayard, 2008.

L'Homme, le Bien et le Mal (avec Christian Godin), Stock, 2008 ; Hachette Littératures, 2009.

L'Ultime Liberté ? Plon, 2008.

Un type bien ne fait pas ça... Morale, éthique et itinéraire personnel, NiL, 2010.

Faut-il légaliser l'euthanasie ? (avec Luc Ferry), Odile Jacob, 2010.

Controverses. Université, science et progrès (avec Valérie Pécresse), NiL, 2011.

Une histoire de la médecine ou le souffle d'Hippocrate (avec Jean-Claude Ameisen, Patrick Berche, Yvan Brohard), La Martinière, 2011.

Une histoire de la pharmacie. Remèdes, onguents et poisons (préface et postface), La Martinière, 2012.

Les Âges de la vie. Mythes, Art, Science (avec Yvan Brohard), La Martinière, 2012.

Un chercheur en campagne, Stock, 2012.

L'Homme, le Libéralisme et le Bien commun, Stock, 2013.

Journal de guerre d'un Juif patriote, André Kahn (avec Jean-François Kahn), Tallandier, 2014.

Pensées en chemin. Ma France des Ardennes au Pays basque, Stock, 2014.

Axel Kahn

Entre deux mers,
voyage au bout de soi

Stock

Ouvrage publié sous la direction de
François Azouvi

Le lecteur pourra retrouver sur le site http://axelkahn.fr/2014-en-images/ les centaines de photographies prises tout au long du parcours d'Axel Kahn, chacune commentée et mise en situation.

Couverture Corinne App
Illustration de couverture : © Sabine Delcour

Carte : © Anne Le Fur, 2015

ISBN 978-2-234-07916-8

Carte

Canal de
Nantes à Brest

BRETAGNE

Beuzec-
Cap Sizun
Plogoff
Landrévarzec
Douarnenez
Laz
Saint-Mayeux
Glomel
Loudéac
Quimper
Odet
Spézet
Perret
Rohan
Pontivy
Rennes
Blavet
Josselin
Malestroit
Vannes
Vilaine
PAYS-
DE-LA-LOIRE
Redon
Le Gâvre
Guenrouët
Nort-sur-Erdre
Ancenis
Angers
Tours
Nantes
Les Mauges
Gesté
Saumur
Indre
Cholet
Coron
Chinon
Lo
Sèvre Nantaise
Massais
Richelieu
Descarte
Berri
Pre
Loudun
Châtellerault
Saint-Michel-
en-Brenne
La B
Thouet
Le Blanc
Saint-Gaul
POITOU-
CHARENTES
Éguzon-Cha
Cr
Saint-V
Vienne
LIM
Limoges

Départ de
la pointe du Raz
le 8 mai 2014

Diagonale !

Paris
BRETAGNE
Pointe du Raz
Rennes
Angers
OCÉAN ATLANTIQUE
Nantes
POITOU
Le Petit Pressigny
Limoges
Clermont-
Ferrand
LIMOUSIN
AUVERGNE
Saint-Étienne
Céneuil
Gap
PYRÉNÉES
PROVENCE
Menton
200 km
MER
MÉDITERRANÉE

Arrivée à Menton
le 22 juillet 2014

ENTRE

□ Bourges

âteauroux

nton-sur-Creuse

Guéret

Aubusson •
Crocq •

Clermont-
Ferrand
□

• Eygurande

Ussel □
Bort-les-Orgues •   • Confolent-Port-Dieu
               La Godivelle •   La Chaise-
         Condat •   Blesle •   Dieu
             Le Cézallier   Brioude •   • Allègre
AUVERGNE Le Puy-en-Velay   Saint-Vincent
Aurillac □   Cèneuil •
                        Saint-Front • Sources
                       Les Estables   de la Loire
                                    ★   • Mézilhac
                           Sainte-Eulalie •   Privas •

Allier

Loire

Saint-Étienne □

Rhône

Isère

RHÔNE-ALPES

• Valence

Drôme

Cliousclat •
                  Crupies •
Montélimar   • Montmorin
           Pont-de-Barret •   • Serres   • La Motte-du-Caire
Cornjillon-sur-l'Oule •   Ventavon •   Thorame-Basse
                              • Authon   Château-Garnier
                         Digne-les-Bains •
                    Tartonne •   Puget-Théniers • Touët-sur-Var
                                  Annot •   Villars-sur-Var
                    Chaudon-   Entrevaux •   Levens • Sospel
                    Norante   Berre-les-Alpes •
                    La Clappe   Nice □ □ Menton
                                         Castellar

□ Gap

ITALIE

Var

Durance

PROVENCE-
ALPES-CÔTE-D'AZUR

50 km

I

Se remettre en chemin

D'une diagonale à l'autre

Chemin faisant entre les Ardennes et la côte basque[1], je me suis senti si bien de mai à août 2013, mon corps et mes pensées en telle harmonie avec mes aspirations, les émotions ressenties au contact des paysages, des chefs-d'œuvre du patrimoine et au fil des rencontres m'ont procuré une telle impression de joie qu'il m'a semblé être alors heureux. De plus, mon désir de partager mes observations et sensations en temps réel, sans attendre la publication ultérieure d'un ouvrage d'emblée programmé, a été comblé : des dizaines de milliers de personnes m'ont accompagné au quotidien sur les réseaux sociaux.

---

1. *Pensées en chemin. Ma France des Ardennes au Pays basque*, Stock, 2014.

Dès mon départ, le 8 mai de Givet, à la frontière belge et sur la Meuse, j'ai pris conscience de l'ampleur des difficultés auxquelles étaient confrontées des populations victimes de l'impressionnante désindustrialisation du pays et me suis alors rendu compte que la quête de la beauté et le partage de mes émotions ne suffiraient pas à résumer mon parcours. Je me suis de ce fait efforcé aussi de comprendre la genèse des crises successives qui ont si cruellement ravagé ces territoires, d'en analyser les répercussions socio-économiques, psychologiques et politiques. Celles-ci sont marquées par la montée en puissance progressive d'une « sécession » des populations vis-à-vis du discours politique raisonnable et ronronnant des partis politiques de gouvernement, associée à un vote croissant en faveur d'un parti nationaliste d'extrême droite, le Front national. J'ai cherché à comprendre les ressorts du phénomène et à imaginer ce qui pourrait l'enrayer.

La situation économique m'est apparue la plupart du temps meilleure dans le grand Sud-Ouest que dans le nord-est et le centre du pays ; j'ai tenté d'identifier les raisons de la résistance relative de ces territoires aux crises qui ailleurs ont fait des ravages difficilement réversibles, de l'allant mieux conservé ou plus vite retrouvé de leurs populations. L'une d'entre elles m'apparaît être la vigueur de l'attachement au terroir, à la région et la fierté qu'elle engendre. Cette observation suggère que la transposition au niveau national d'un tel sentiment de fierté partagée d'appartenir à ou d'être accueilli par la « France belle » dont je me suis efforcé de vanter les attraits serait de nature à accroître les chances du pays de rebondir après les vagues successives de désindustrialisation qui l'accablent depuis des décennies.

La question de mes projets après la fin de ma traversée diagonale du pays s'est posée à moi tandis que je m'approchais, en juillet 2013, du terme de ce parcours. Y répondre n'était pas aisé car prendre ce chemin, exaucer ce faisant un vœu si ancien, occupait à mon départ de Givet une telle place dans mon esprit que j'étais alors dans l'incapacité de me projeter dans un après qui s'est révélé étonnamment vide lorsque j'en suis venu à le considérer. Cependant, le plaisir pris à l'aventure, le sentiment de bonheur déjà évoqué et l'importance de mes observations m'ont incité à la renouveler sur une autre diagonale, à travers de nouveaux territoires et au contact de leurs populations. J'annonçai par conséquent avant même mon arrivée au Pays basque mon intention de reprendre la route au printemps 2014 en partant le plus à l'ouest possible, par conséquent de la pointe de la Bretagne, pour me rendre là où se rencontrent les Alpes, la frontière italienne et la mer Méditerranée, à Menton. Dès que j'eus terminé la rédaction de *Pensées en chemin*, je me mis sans tarder à préparer ce nouveau parcours, si bien que j'ai l'impression de n'avoir pas quitté l'univers du chemineau depuis janvier 2013 où j'ai commencé à dessiner l'itinéraire emprunté du nord-est au sud-ouest. Le randonneur amoureux de la nature et de la vie que j'ai toujours été ne pouvait rêver mieux que consacrer deux années à l'automne de sa vie à la marche, à l'effort, aux vallons et aux crêtes, à l'émotion des départs au soleil levant, parfois à l'extase devant les manifestations diverses de la beauté. Deux années dans l'étreinte presque charnelle avec « ce pays qui est le mien » ainsi que je l'ai écrit dans la dédicace de *Pensées en chemin*, en communion avec ses habitants, leurs espoirs et leurs désarrois.

Mon périple de la frontière belge à la frontière espagnole et à l'Atlantique s'était déroulé presque à la perfection, le programme établi avant mon départ avait été respecté dans sa lettre et dans son esprit. La plupart des solutions privilégiées alors s'étaient révélées opportunes et je n'avais pas de raison de les modifier. Je partirai donc en totale autonomie, l'équipement nécessaire n'ayant plus de secret pour moi. La seule innovation matérielle par rapport à la diagonale précédente sera l'utilisation de mon appareil GPS qui se révélera essentiel compte tenu des difficultés de mon nouveau parcours. Il me permettra aussi de mesurer exactement les distances et les dénivelés du parcours. La distance moyenne *a priori* de trente kilomètres par jour était raisonnable sauf en haute montagne, j'en conserverai le principe. Les étapes dans les chambres d'hôtes permettent le mieux de rencontrer les gens des bourgs et des cités, d'organiser des réunions plus larges lorsque des habitants informés de mon passage le désirent ou que les responsables des maisons d'hôtes en prennent l'initiative, ce qui adviendra plusieurs fois. Comme en 2013, je serai de la sorte en mesure d'échanger entre deux mers avec des dizaines de maires et d'élus divers, de socioprofessionnels représentatifs de la diversité de l'activité des différents territoires, de citoyens engagés dans l'action associative, plus généralement de femmes et d'hommes intéressés par ma démarche, souvent de lecteurs de *Pensées en chemin*.

L'intérêt suscité par la diffusion quotidienne de photographies, le cas échéant accompagnées de textes, présentant à qui désirait les lire mes coups de cœur esthétiques et mes observations à chaud, me conduisit bien sûr à renouveler là encore l'exercice. Je m'étais ménagé sur mon premier parcours diagonal une quinzaine de jours d'arrêt, dont deux périodes de quatre et cinq journées consécutives. Cependant j'avais observé la difficulté de me remettre en chemin au terme de ces arrêts prolongés, comme si l'essentiel de l'accoutumance aux longues marches se perdait en peu de temps. Je me résolus par conséquent à ne me ménager dans le périple que je préparais que quatre jours de repos pour soixante-douze journées de marche.

Je m'étais en définitive, dès mon retour en août 2013 à Paris et sur mes terres familiales de la Champagne méridionale, projeté dans mon départ futur de Bretagne et ne changeais rien à mon entraînement pédestre continu, montant même en gamme. On compte sur les doigts d'une seule main les circonstances où j'utilisai un transport en commun ou un véhicule particulier pour me déplacer dans la capitale. C'est sac au dos que je rejoignais les différentes gares d'où je partais pour des rencontres en région, les sièges des radios et télévisions que la présentation de mes ouvrages m'a rendus familiers. C'est même à pied et équipé de la sorte que je me rendis au palais de l'Élysée où le président m'avait convié à déjeuner avec deux autres marcheurs, le député Jean Lassalle et l'écrivain Jean-Christophe Ruffin. Les gendarmes de garde, le personnel du palais, les collaboratrices de François Hollande et le président lui-même témoignèrent d'une surprise amusée en me voyant arriver à grands pas, certes habillé comme il se doit en la circonstance, cravaté et décoré, mais affublé de mon sac dorsal de ville bien défraîchi. J'ajoutais bien entendu à cette déambulation citadine ordinaire des marches encore plus conséquentes, bottes de chasse aux pieds dans la forêt hivernale de ma campagne et, fin février, sur le chemin côtier tout autour de Belle-Île-en-Mer.

Le chemin et l'âge

J'avais pleine conscience de la signification particulière que revêtaient pour moi les commémorations de l'année 2014. Pas tant celle du centenaire de la Première Guerre mondiale, même si je suis désormais bien plus près de mes cent ans que de ma naissance ! Il s'agit surtout, en fait, du soixante-dixième anniversaire du débarquement de Normandie et de la libération de Paris. J'ai déjà rappelé qu'informé par son épouse de la naissance de son troisième fils le 5 septembre 1944 dans le petit village du Petit-Pressigny, au sud de la Touraine, mon père répondit par une lettre en retour dont les premiers et fiers mots étaient : « Axel est né, Paris est libéré ! » Ma nouvelle traversée du pays se déroulerait par conséquent dans la seconde moitié de ma soixante-dixième année. Or, à cet âge, toute année supplémentaire pèse d'un poids bien différent de ce qu'il était ne serait-ce qu'une décennie auparavant. Non pas que j'aie ressenti alors des manifestations nouvelles du vieillissement, je me sentais dans une forme rayonnante. Il n'empêche, je savais que c'était moins le moment de « mollir » que jamais.

Je me rendis par ailleurs vite compte en établissant mon itinéraire précis qu'il ne ressemblerait en rien à celui que je venais de parcourir. En 2013, j'ai suivi des chemins balisés de grande randonnée (GR) d'Avallon jusqu'à la Rhune au Pays basque, c'est-à-dire sur la majeure partie du parcours. Ceux-ci peuvent être assez escarpés mais sont presque toujours bien marqués et de toute façon praticables. De plus, les quelque sept cent cinquante kilomètres où, après Le Puy-en-Velay, le GR 65 se confond avec la *Via podiensis* du chemin de pèlerinage de Saint-Jacques-de-Compostelle, doivent pouvoir être empruntés par des pèlerins de tout âge et dans des états physiques éloignés parfois de ceux de randonneurs chevronnés et entraînés ; il ne comporte de ce fait aucune difficulté notable autre que la distance à parcourir et la chaleur fréquemment pesante en été dans les basses terres du Sud-Ouest, du Quercy aux pieds des Pyrénées. Entre la pointe du Raz, mon lieu de départ, et Menton, il n'existe en revanche pas de tracé logique, raisonnablement direct et continu, mais plutôt un entrelacs de chemins souvent plus ou moins en boucle, ou alors très sinueux, qu'il n'était pour moi raisonnable de suivre que sur de petites portions au risque d'allonger démesurément la distance totale déjà importante de ma diagonale. Il me faudra trouver des itinéraires, sentiers ou petites routes, me permettant de progresser en évitant les voies à forte circulation automobile qui sont en général, hors de la montagne, les plus directes d'un point à un autre. Je savais aussi qu'en dehors des balisages, l'indication d'un chemin sur les cartes d'état-major ne dit rien de son état et ne garantit pas son accessibilité, voire qu'il existe encore, j'en ferai de nombreuses fois l'amère expérience.

Cheminer de la Bretagne vers la frontière italienne et la Méditerranée impose, de surcroît, après les escarpements modestes du Massif armoricain, de traverser tout le Massif central, des premiers contreforts de la Creuse et du plateau de Millevaches jusqu'aux monts du Livradois et du Velay. La Loire franchie avant Le Puy, il faut ensuite passer les montagnes et le plateau de la haute Ardèche. Après la traversée de la vallée du Rhône, le chemin remonte dans la Drôme vers le massif des Baronnies, le sud des Hautes-Alpes, les sèches Alpes-de-Haute-Provence puis les Alpes-Maritimes jusqu'à la frontière italienne où la montagne se jette directement dans la mer par des pentes abruptes. Au total, plus de la moitié de cette diagonale est montagneuse, elle promettait même des difficultés sérieuses hors des grands sentiers balisés dans une partie des Alpes du Sud réputée pour ses reliefs aigus et les importants dénivelés qu'implique la progression lorsqu'elle devient perpendiculaire à l'orientation générale des vallées. En résumé, c'est un tracé sans doute nettement plus difficile qu'en 2013 qui m'attendait alors que j'avais un an de plus, ce qui ajoutait peu à mon expérience mais introduisait une incertitude supplémentaire quant à la capacité de la « carcasse » à surmonter les différents obstacles du voyage.

Il était aussi prévisible que la solitude du marcheur fût beaucoup mieux respectée entre la Bretagne et l'Italie que sur mon parcours de 2013. Certes, je n'avais alors croisé personne de Givet au Puy-en-Velay mais avais cheminé au-delà dans le flux des jacquets, les pèlerins de Compostelle, jusqu'à la fontaine de Roland. Dans les Pyrénées basques jusqu'à la Rhune, j'avais ensuite suivi le GR 10, l'un des plus fameux du pays entre Hendaye et la Méditerranée. En 2014, même les tronçons de GR empruntés seraient sans doute, à l'exception du chemin côtier qui fait le tour de la Bretagne (GR 34), fort peu fréquentés et les autres voies, désertes. Ce fut le cas ; après Douarnenez où je devais m'enfoncer dans la Bretagne intérieure et jusqu'au GR 52 de Sospel à Menton, je ne rencontrerai aucun autre randonneur. En montagne, je marcherai souvent sur des sentes envahies par le maquis et que plus personne n'empruntait jamais depuis des lustres. J'étais avisé de cela et conscient de ce que, dans ces conditions, le moindre incident, entorse ou tendinite, risquait d'avoir des conséquences d'autant plus sérieuses qu'en général personne ne savait par où je passerai et par conséquent où je pourrai bien me trouver. En effet, les seuls repères fixes de mon itinéraire étaient les points de départ et les destinations. En dehors des voies balisées, je déciderai de mon itinéraire au dernier moment en fonction des conditions météorologiques et de la configuration observée du terrain. Seul le téléphone portable serait un recours en cas de dommages corporels, à condition qu'il y ait du réseau, ce qui n'est guère assuré que sur les crêtes, et que je sois resté conscient.

Princesse mascotte

En dehors des rencontres vespérales, je me préparais au total à une longue marche strictement solitaire qui ne m'effrayait pas, même si les caractéristiques du terrain arpenté pouvaient la rendre parfois périlleuse. Pourtant, j'aurai de la compagnie entre l'océan et la Méditerranée, celle d'un ravissant et espiègle poulain alezan en peluche affublé d'un gilet vert criard que j'avais accroché à mon sac. Les premières personnes croisées à mon départ me demanderaient, le voyant : « C'est votre doudou ? » Je m'offusquerai d'abord de cette question renvoyant à l'hypothèse d'une retombée sénile en enfance mais, je l'avoue volontiers aujourd'hui, elle le devint, et plus encore. En fait, je vous parle de Norman, la douce et pétillante mascotte des jeux équestres mondiaux qui devaient se tenir en Normandie du 23 août au 7 septembre. Je suis cavalier depuis ma jeunesse et propriétaire de chevaux dont l'observation éthologique attentive a toujours constitué pour moi une source d'inspiration sur les traits particuliers de l'« animal humain » comparé aux animaux qui ne le sont pas. Les comportements équins m'ont en particulier servi de référence extérieure dans mon ouvrage *L'Homme, ce roseau pensant. Essais sur les racines de la nature humaine*[1]. Pour toutes ces raisons, le monde du cheval et des sports équestres me considère comme l'un des siens, si bien que les organisateurs de la

---

1. *L'homme, ce roseau pensant. Essai sur les racines de la nature humaine*, NiL, 2007.

compétition me demandèrent en décembre 2013 d'être « ambassadeur des jeux » et de contribuer à en assurer la promotion. J'acceptai, bien entendu, tout en avertissant que je serai absent de toute manifestation de mai à août. C'est à cette occasion qu'on me remit la peluche Norman. Je proposai de l'emporter avec moi tout au long de la marche, de lui faire partager mes aventures et de la mettre en scène dans des décors et en des circonstances symboliques de ma progression entre deux mers. Je pris la décision de populariser ces saynètes au moyen des réseaux sociaux et, chemin faisant, au fil de mes interviews nombreuses dans les médias régionaux (presse écrite, radios et télévisions).

« Mascotte » est un nom féminin ; Norman, un prénom masculin. J'avoue, sans en ressentir la moindre fierté, avoir toujours eu un goût particulier pour le côté féminin du monde et des êtres. Aussi, je ne conservai à l'esprit, au bout de quelques kilomètres seulement en sa compagnie, que ce côté-là de la mascotte ; son compagnonnage, je dirais presque son intimité, ne cesserait de s'affirmer au fil des jours et des épreuves partagées. Le soir, détachée du sac auquel elle était pendue par le cou, elle trônait sur un meuble des chambrettes qui accueillaient mon sommeil réparateur. Ne pas l'oublier était un souci constant au départ le matin. À la pause méridienne, je l'asseyais confortablement dans l'herbe, sur un coussin de mousse ou dans les branches d'un arbre de sorte qu'elle me tienne compagnie pendant mon pique-nique, qu'elle veille sur moi lorsque je m'octroyais une sieste postprandiale d'un quart d'heure avant de me remettre en route. Tous ceux qui suivirent nos aventures sur mon blog et les réseaux sociaux la contemplèrent parmi les fleurs, au bord d'un lac, sur une balle ronde de foin, la meule en pierre d'un moulin, une balançoire, le dos d'une ânesse, aux commandes d'un train, au sommet des montagnes et, finalement, se baignant dans la Méditerranée à Menton. Forte d'une telle présence et intuitivement consciente de mon affection croissante à son égard, elle m'imposa, je ne sais trop comment, d'être appelée « Princesse mascotte », toujours ironique et de plus en plus fière. J'en vins même, malgré mon affection, à la jalouser un peu car, bientôt, la plupart des messages et commentaires sur le Net lui furent destinés plutôt qu'à moi. Je surmontais pourtant ce sentiment mauvais et ne luttais bientôt plus contre sa rayonnante popularité car je finis par prendre conscience que Princesse mascotte était en réalité une part de moi.

Malgré cette présence rassurante, une certaine inquiétude m'habitait en mai à mon départ de Bretagne, elle contrastait avec la sérénité peut-être inconsciente dont, malgré mon poignet cassé, je faisais preuve un an auparavant dans les Ardennes. Contrairement à 2013, mon nouveau projet comportait une part de défi physique assumé, je savais qu'arriver à Menton exigerait de le relever mais que les embûches étaient nombreuses, celles qui trouvaient leur origine dans mon corps de septuagénaire lui-même et dans les difficultés du terrain auxquelles il serait confronté. Ce sentiment teinta tout mon parcours d'une certaine gravité qui contraste avec l'insouciance de ma première diagonale. Il fut aussi propice à un voyage au bout de moi que je n'avais fait qu'amorcer un an plus tôt.

II

La Bretagne des côtes,
des landes et des champs
De la pointe du Raz à la Loire

Le cap Sizun, virage au « raz de Sein »

Sollicité depuis des mois par l'association finisté-
rienne Ephata et par la grande librairie de Quimper
pour venir parler de ma quête de la beauté et présenter mon dernier ouvrage, je quitte Paris pour Quimper en train le 6 mai en début de matinée, en tenue
de randonneur, chaussures de marche aux pieds et
sac au dos. La capitale du pays de Cornouaille m'accueille par des giboulées copieuses en guise d'entrée en matière bretonne. Il m'en faudrait pourtant
plus pour me dissuader d'utiliser le couple d'heures
dont je dispose avant la première de mes rencontres
publiques pour déambuler sur les bords de l'Odet à la
confluence avec ses affluents, me rendre dans le vieux

quartier de Locmaria, visiter son prieuré roman, puis retourner au centre de la ville autour de la cathédrale Saint-Corentin. D'après la légende, ce premier évêque de Quimper fut le protégé du non moins mythique roi de Cornouaille, Gradlon. Les alternances de pluie et de soleil, la beauté austère des monuments et l'atmosphère de mythes et légendes dans lesquelles baignent les origines de la cité sont en phase singulière avec mon état d'esprit. Il oscille en effet entre l'excitation du départ, la satisfaction d'être presque à pied d'œuvre et l'inquiétude légère de ce qui m'attend et de la capacité de mon corps à y faire face. Ma seule certitude concerne ma détermination et ma volonté, je me sais dur au mal et opiniâtre ; cela suffira-t-il ? Je me sens alors prêt à en appeler à tous les saints de la Bretagne, de Breizh (ou BZH), devrais-je dire en ce haut lieu de la langue bretonne.

Après ma rencontre en librairie et la conférence organisée le soir par Ephata, je suis pris en charge par Anne et Raymond, deux des membres de cette association qu'il me faut présenter en quelques mots. Ephata se présente comme dévolue aux sciences humaines mais m'apparaît quelque peu portée sur l'ésotérisme. Parmi les personnes qui m'ont accueilli, Pierre, ingénieur, est féru d'exégèses bibliques. Raymond a été missionnaire en Asie, d'abord à Singapour. Afin d'évangéliser les Chinois si nombreux dans ce pays, son évêque l'envoie quelques années à Taïwan où il ne se contente pas d'apprendre la langue : il s'initie aussi à la pensée chinoise, taoïsme puis confucianisme. Au terme de cette initiation, il s'estime incapable de délivrer la « vérité » évangélique aux Chinois et demande à l'évêque d'être déchargé de sa mission. Il devient alors un excellent spécialiste des relations entre la pensée chrétienne et la philosophie taoïste. Anne, quant à elle, est convaincue, comme les médecins du Moyen Âge et certains de leurs précurseurs de l'Antiquité, que le microcosme du corps reflète le macrocosme du tout et s'évertue à en identifier les signes. Des gens divers et passionnés, au total, même si, en léger décalage avec leur quête individuelle, la beauté est bien la seule « spiritualité » qui ne me soit pas étrangère. Quoi qu'il en soit, ces discussions s'intègrent bien à l'univers étrange, mystérieux et fantasmagorique de Breizh qui me semble être l'un des aspects de son âme perçu au travers de ses brumes, dans le fracas des rouleaux sur ses grèves sauvages et en cheminant sur ses landes balayées par le vent.

Après une nuit passée dans la maisonnette de Raymond en pays bigouden, je me dirige le 7 mai vers la pointe du cap Sizun. La Bretagne s'est, ce jour-là, parée des couleurs de la Provence lorsque le mistral souffle. Pas un nuage, les bleus dominent sans partage, céleste dans le ciel et outremer pour l'océan dont la frange d'écume soulevée par le vent d'ouest ourle la côte rocheuse découpée en une succession de criques qu'entourent de hautes falaises. Je profite de ma présence sur les lieux pour parcourir la partie sud de la côte, depuis la pointe de Plogoff jusqu'à celle du Raz en passant par le site maritime où se déroula dans les années 1970 un combat épique contre l'implantation en ces lieux d'une centrale nucléaire, puis jusqu'au pittoresque Pors Loubous. C'est là, près du hameau de

Penneac'h, que, en décembre 1940, l'officier de marine Honoré d'Estienne d'Orves, chargé par le général de Gaulle d'organiser la résistance, débarqua avec ses compagnons. Pris par les Allemands, ils payèrent tous leur patriotisme du prix de leur vie. Cette radieuse journée précédant mon départ « officiel » me permet d'admirer la pointe du Raz dans toute sa splendeur, au « raz » de l'île de Sein, d'où son nom. Là, quittant le parking à touristes, je m'aventure aussi loin que je le peux sur la pointe constituée d'une enfilade de gros rochers qui, plus loin à l'ouest, se prolonge par de petits îlots dans la direction du phare et, à quelques centaines de mètres plus au large, de l'île de Sein aplatie sur l'océan. Entouré de mouettes et de cormorans, sous le soleil éclatant et dans la forte bise, je reste là un long moment seul, assourdi par les sifflements et ricanements des oiseaux de mer et par le fracas de la houle qui se brise sur les roches acérées de granit en des gerbes d'eau qui m'éclaboussent. Je me sens un peu écrasé par ce que je vois – la sauvage majesté du site –, par l'émotion esthétique qui m'étreint et par ce qui m'attend à partir du lendemain quand je cheminerai toujours plus loin vers le sud-est, jusqu'à ce que, tant de montagnes passées, une autre mer m'arrête.

Je profite autant que je le peux de la possibilité qui m'est offerte pour la dernière fois avant longtemps de flâner, de traîner, de musarder et ne rejoins la maison d'hôtes quatre étoiles An Tiez Bihan dans le bourg de Plogoff que tard dans l'après-midi. C'est le premier gîte de ma diagonale qu'il inaugure en fanfare : Marie-Rose et Jean-Paul y cuisinent et servent un dîner gastronomique que je me serais plus attendu à déguster dans un grand restaurant de Cornouaille. Au petit matin du 8 mai, le décor a changé lorsque je me dirige à nouveau d'une foulée déjà ample vers la pointe du Raz puisque c'est là que se situe l'extrémité occidentale de mon périple. La pluie propulsée par un vent à la limite de la tempête fouette mon visage, j'avance dans un brouillard épais, emmitouflé dans mes vêtements imperméables, dont la belle cape rouge que je n'ai guère quittée un mois durant l'an dernier. Le site de la pointe du Raz n'est cependant pas désert, une équipe de télévision et des journalistes m'y attendent pour immortaliser ce départ. Est là aussi, bravant l'heure matinale et les éléments hostiles, un couple stoïque qui patiente depuis longtemps déjà pour me faire signer *Pensées en chemin*. Tout au long de ma diagonale, j'aurai ainsi la surprise de rencontrer des lecteurs informés de mon passage dans des lieux improbables mais que je ne pouvais éviter, par exemple des ponts, les arrivées ou les départs des localités-étapes.

Mon itinéraire suit pendant deux jours pleins le sentier côtier nord du cap Sizun jusqu'à Douarnenez, avec un arrêt à Beuzec. Le paysage se modifie progressivement au cours de ma progression. La belle côte granitique découpée et escarpée est prolongée en mer par des îlots de toutes formes où se rassemblent une multitude d'oiseaux. Elle borde d'abord un paysage de lande rase et rousse, brûlée par le vent et le sel où ne poussent que quelques plantes dont la plupart n'ont pas résisté à l'ardent soleil des semaines passées : fougères et ajoncs sont desséchés, ne persistent guère que les capitules d'*Armeria maritima* et des tapis de silène enflé, aux fleurs un peu grotesques avec leurs gros bulbes d'où dépassent quelques pétales blancs. Près de la mer, dans des cupules abritées des rochers, d'élégants spégulaires roses d'apparence fragile contrastent avec la rude beauté de ces paysages. Les falaises culminant à quelques soixante-dix mètres sont entaillées par de nombreux défilés, sortes de fjords-canyons, abers miniatures qui s'enfoncent dans les terres et, en de rares endroits, laissent place à des plages de sable blanc telle celle qui occupe le fond de la baie des Trépassés. Elle est aujourd'hui sublime dans le vacarme des vagues et des rouleaux surgis de la brume et qui déferlent sur la grève. Ailleurs, les pêcheurs ont creusé dans le granit des marches qui conduisent à d'étranges petits ports-abris (Pors Loubous déjà cité, sur la côte sud, Porz Loedec après la pointe de Penharn), en réalité peu abrités et dont il faut treuiller les bateaux dès que la mer forcit. Plus à l'est, en avançant vers la baie de Douarnenez, surtout après avoir doublé le bout de la presqu'île de Crozon, l'eau douce devient abondante et dévale vers l'océan depuis les hautes falaises. La végétation se fait alors plus luxuriante, les fleurs se diversifient : primevères, jacinthes sauvages en tapis bleus et blancs, églantines, ajoncs fleuris. Herbes et fougères prennent de l'assurance. À l'approche du fond de la baie de Douarnenez, le paysage s'adoucit encore, le sentier longe maintenant des propriétés transfigurées en ce mois de mai par la luxuriante floraison des rhododendrons.

Je n'avais pas pensé en préparant mon trajet que longer la côte nord du cap Sizun obligerait en permanence à descendre au bord de l'océan pour passer les failles de la côte, à remonter sans tarder sur l'autre bord, et à recommencer immédiatement. J'avais eu en février un aperçu de ce relief tout autour de Belle-Île mais les points hauts ne dépassent pas là-bas quarante mètres. En définitive, ma première étape de Plogoff à la pointe du Raz et à Beuzec représenta, selon mon compteur GPS, trente-cinq kilomètres de distance, proche de ce que j'avais prévu, mais aussi, et ce fut là une surprise, mille deux cent cinquante mètres de dénivelé ascendant cumulé. Je ne parviens, un peu las quand même, à ma maison d'hôtes Cosquer de Beuzec qu'en début de soirée, une excellente entrée en matière de ce qui m'attend, en somme. Malgré ce début « musclé », les jambes et le souffle sont à la hauteur de mes attentes et confirment la qualité de mon entraînement. Pourtant, le corps n'est pas totalement silencieux. Si je ne savais pas qu'il est supporté par mes genoux, ces derniers me le rappelleraient ; ils ne cesseront de le faire jusqu'à Menton et seront en quelque sorte, par une bizarrerie anatomique au départ plaisante, mon talon d'Achille.

De Douarnenez, droit dans les terres.
Les Montagnes noires

Je n'ai pas de temps à perdre pour arriver à Douarnenez car j'ai reçu en chemin une sorte de SOS du libraire de la ville dont le petit établissement, L'Ivraie, est confronté à la crise terrible qu'affronte le commerce du livre. Les librairies modestes doivent faire face à la fois à la baisse tendancielle de la lecture des documents papier et à la concurrence des géants de la distribution en ligne. Ces boutiques ne peuvent avoir de stocks dépassant quelques centaines ou milliers d'ouvrages et de la sorte rivaliser avec les entreprises telle Amazon qui proposent de livrer en quarante-huit heures le titre désiré parmi un catalogue exhaustif de centaines de milliers de références. Seule l'animation culturelle autour du livre offre quelques avantages concurrentiels à ces boutiques de proximité. Le libraire de Douarnenez, mis tardivement au courant par la presse de mon passage, désire créer à L'Ivraie un événement autour de *Pensées en chemin*. Je me hâte donc et admire en traversant le Rhu, rivière côtière et port, le pâle soleil déjà bas à l'ouest qui crée des jeux de lumière et d'eau au milieu desquels danse une imposante flottille de bateaux de plaisance multicolores. Il n'est hélas pas question que je m'attarde dans la contemplation, il me faut vite me décrasser, laver mon linge, me changer puis me précipiter vers la librairie exiguë d'où déborde jusque dans la rue une assistance nombreuse et impatiente. Après la présentation du livre et avant la rituelle séance de signatures, je peux échanger avec les Douarnenistes présents qui me parlent du développement de leur ville au temps béni de l'abondance des sardines et de l'activité des conserveries qui en dépendait jusqu'à la crise provoquée par la quasi-disparition de la ressource, de leurs colères, frustrations et espoirs.

Douarnenez, chronologiquement la seconde ville rouge de France, connaît son époque de gloire à la fin du XIXᵉ et au début du XXᵉ siècle. Des bancs importants de sardines entrent alors dans la baie, sont piégés par les courants et deviennent de ce fait une proie facile pour les pêcheurs nombreux. Toute l'activité économique est à cette époque articulée à cette ressource : construction navale et, surtout, conserverie avec jusqu'à trente-deux établissements dont seuls trois ont survécu jusqu'à nos jours. La surpêche tue progressivement la poule aux œufs d'or et il ne reste plus maintenant qu'un seul pêcheur sardinier dans le port. Cependant, les trois conserveries qui demeurent se sont agrandies et modernisées, elles emploient encore un millier de salariés. À défaut de sardines, elles se font livrer le poisson, surtout du thon et des coquilles Saint-Jacques, de parfois fort loin, elles ont diversifié leurs spécialités et Douarnenez demeure la ville la plus active de France pour ce qui est des conserves de poisson. La construction navale de bateaux de pêche a bien sûr périclité mais le tourisme et la plaisance se sont développés et la cité fait flèche de tout bois pour amplifier le phénomène : compétitions de courses navales, en ce moment le grand prix des Dragons ; superbe port-musée ; concentration des « vieux gréements » ; festival de cinéma ; importante vie associative. Au total, Douarnenez a souffert et souffre mais est bien vivante. Elle a conservé plus de la moitié de sa population, 25 000 habitants à l'heure de sa splendeur et encore 15 000 aujourd'hui. Le taux de chômage, en légère amélioration, est de 12 %. Ces chiffres sont à comparer avec ceux d'autres villes françaises qui ont, elles aussi, perdu la ressource naturelle à l'origine de leur prospérité, la sardine à Douarnenez, la houille ou le minerai de fer en Lorraine ou dans les bassins miniers de l'Aveyron et du Tarn. Là-bas, le nombre d'habitants a souvent été réduit au tiers de ce qu'il était en période de pleine activité. Malgré la rudesse des mutations économiques liées au déclin considérable de la pêche, la cité de Cornouaille m'apparaît en définitive avoir du ressort. La suite de mon périple breton me confirmera que c'est là un trait de la région dont je prendrai de mieux en mieux conscience au fil des multiples rencontres aux étapes de ma traversée de Breizh d'ouest en est, à Landrévarzec, Glomel, Loudéac, Rohan, Josselin, Redon, Le Gâvre, etc.

Je quitte Douarnenez tôt le matin, sous une bruine légère, en direction de la vieille petite ville historique de Locronan. Elle est située à mi-pente de la « montagne » éponyme qui constitue l'extrémité ouest des Montagnes noires, épine dorsale sud de la Bretagne, parallèle aux monts d'Arrée plus au nord. Du sommet qui domine le bourg à deux cent quatre-vingt-neuf mètres, j'aperçois toute la baie de Douarnenez, les côtes du cap Sizun et de la presqu'île de Crozon, l'île Tristan, la ville et ses trois ports. C'est là la dernière vision que j'aurai de la mer avant longtemps, avant d'entrevoir au loin la Méditerranée depuis les crêtes des Alpes-Maritimes au-dessus de la Côte d'Azur, dans sans doute près de deux mille kilomètres. Si j'y parviens. Princesse mascotte, insouciante, en paraît persuadée alors que, de mon côté, j'en ai la volonté plus que la certitude.

Locronan, le « locus » de saint Ronan, occupe un ancien site celtique en forêt de Névet, un « néméton » dont douze menhirs constituaient les stations de la grande Troménie druidique évoquant le parcours des astres célestes et les douze mois de l'année. Le saint patron de la ville est un ermite irlandais du Ve siècle, son évangélisateur vu comme son premier évêque. La christianisation des lieux a, comme souvent, pris un tour syncrétique en transformant le culte celte en la procession tous les six ans de la grande Troménie catholique, l'un des plus importants pardons de Bretagne où les menhirs ont été remplacés par douze calvaires. La réputation des reliques du saint d'assurer la fertilité des femmes a aussi dans l'histoire été l'occasion d'un pèlerinage que fit en particulier la duchesse Anne de Bretagne en l'an 1505. La prospérité de Locronan reposera à partir du XIVe siècle sur la culture et la filature du chanvre, ainsi que sur le tissage des toiles de voilure. C'est pourquoi les monuments en granit de la ville ont tous été bâtis entre le XVe (l'église de style gothique flamboyant) et les XVIIe et XVIIIe siècles (les belles demeures des toiliers sur la place). Quitter la Bretagne maritime, la vieille cité et ses nobles monuments gris scintillant aux rayons du soleil couchant constitue une transition parfaite vers la Bretagne intérieure que je m'apprête maintenant à parcourir jusqu'à la Loire. Je quitte Locronan par la petite route qui grimpe à la chapelle Ar Sonj et m'engage plein est dans un sentier forestier qui traverse tout le bois du Duc, mon premier contact avec les forêts bretonnes. En quelques pas me voici à des années-lumière des landes côtières battues par les vents, assourdi par leur bruits qui se mêlent à celui des vagues et des oiseaux, sifflements, ricanements et cris gutturaux. Ici, je marche dans un chemin creux que couvrent entièrement les troncs noueux dont les cimes se rejoignent au-dessus de moi. Une mousse épaisse les recouvre, eux et le sol, moelleux tapis vert qui étouffe tous les sons. Mes pas sont amortis, le silence est profond, j'avance dans une lumière tamisée et verte et un air immobile qu'emprisonne le tunnel végétal. Je sais avoir pénétré presque par effraction dans l'univers des lutins et farfadets, celui des korrigans bretons ; troubler leur intimité m'intimide. Effet des sortilèges du lieu, je crois ressentir sur mon sac le léger tremblement de Princesse mascotte, sans doute encore plus impressionnée que moi ou bien brûlant d'aller rejoindre elle aussi le petit peuple des bois.

Ma lente progression vers l'est se poursuit en jouant à saute-mouton avec les crêtes des Montagnes noires, d'une vallée à l'autre, cent cinquante à deux cents mètres en contrebas : Landrévarzec, Laz, Gourin, Spézet, entre Finistère, Morbihan et Côtes-d'Armor. C'est que le Massif armoricain est un massif, qu'on se le dise. Ah, certes bien vieux et usé jusqu'à l'os granitique mais un massif quand même. Les cyclistes le savent bien, eux si nombreux dans cette région et qui ont donné tant de magnifiques champions à ce sport. Les gens de mon âge se rappellent sans aucun doute Jean Robic et Louison Bobet, ils ont eu de nombreux successeurs. En bicyclette, on s'aperçoit vite que la route n'est pratiquement jamais plate, en Bretagne, ce qui doit être propice à l'entraînement de futures vedettes. En marchant, cela se confirme. Certes les pentes des Montagnes noires ne sont guère redoutables, elles ne revêtent pas le caractère un peu sportif du sentier côtier nord du cap Sizun évoqué plus haut. Cependant, elles s'additionnent sans en avoir l'air et contribueront à l'impressionnant dénivelé cumulé qu'affichera mon compteur GPS à mon arrivée à Menton. La pierre de granit est ici reine et participe au caractère puissant dégagé par cette région, l'une des plus pauvres de la province. Nos ancêtres celtes l'ont utilisée pour ériger leurs mégalithes nombreux sur les hauteurs, menhirs disséminés aujourd'hui en plein champ, « allées couvertes » au bord des chemins. Ce sont là des monuments funéraires constitués de dalles inclinées se soutenant l'une l'autre à la manière d'un château de cartes de titans. Le granit aux teintes variant du rose clair à l'anthracite est aussi le matériau par lequel s'exprime la profonde foi chrétienne des anciens Bretons qui ont bâti tant d'églises de village touchantes par leur simplicité, les calvaires nombreux qui les entourent ou que l'on découvre à la croisée des chemins. Qu'ils se détachent sur un ciel immaculé scintillant en plein soleil ou que leurs formes s'estompent légèrement dans la brume et la bruine, qu'on les trouve en groupes de deux ou trois ou isolés dans un écrin de verdure, beaucoup d'entre eux sont d'authentiques chefs-d'œuvre. La plupart sont constitués du Christ en croix sur un côté et d'une Vierge à l'Enfant de l'autre, parfois d'autres personnages. Plus rarement le calvaire représente le groupe classique de la Crucifixion, le supplicié entouré de Marie et d'un homme, l'apôtre Jean en général. Leur diversité et leur beauté simple m'émeuvent chaque fois, je ne m'en lasse pas.

La désertification des campagnes n'épargne pas la Bretagne même si elle est plus lente qu'ailleurs en France. Elle se manifeste néanmoins dans les monts d'Arrée et les Montagnes noires de tout temps voués surtout à l'élevage des vaches laitières, des bretonnes jadis, les habituelles holstein de nos jours. C'est que la mécanisation de l'agriculture a transformé cette activité tout autant que les autres. La traite encore manuelle dans mon enfance, exigeante en main-d'œuvre, a partout été automatisée. Pour les plus grands troupeaux, elle est même de nos jours auto-déclenchée par les vaches qui, lorsqu'elles en ressentent le besoin, se positionnent dans des stalles équipées où elles peuvent se nourrir et être traites sans aucune intervention humaine. Or la tendance à l'agrandissement des exploitations agricoles est la même en Bretagne que partout en Europe. La production laitière reste ici importante, autorisée par des quotas européens moins restrictifs qu'ailleurs. Des Chinois viennent de ce fait d'acquérir au sud des monts d'Arrée une gigantesque laiterie, de quoi répondre à la demande des consommateurs de l'empire du Milieu échaudés par le scandale du lait trafiqué qui a entraîné la mort de centaines de bébés.

Le centre Bretagne rural et dépeuplé exerce un attrait singulier sur nos cousins les Grands-Bretons qui s'y sont installés en masse. Comme les Hollandais dans le Morvan, ils ont en particulier le quasi-monopole des maisons d'hôtes de ce territoire, d'ailleurs annoncées sur leurs sites internet comme des *Bed-and-Breakfast* que j'ai par conséquent fréquentés presque exclusivement durant plusieurs jours. Dans la vallée de l'Aulne avant Laz, en particulier, mon séjour dans l'un de ces établissement a coïncidé avec l'anniversaire de Bryan, un anglais de Bristol qui a ouvert ici, où il a décidé de vivre avec son épouse Jilly, un coquet et très british B&B. Un couple d'amis britanniques est aussi de la partie et j'assiste durant les quelques heures fort arrosées passées avec eux à au moins six célébrations du *Happy Birthday to You* en version chorale. Il faut préciser que Bryan et son ami ont aussi monté un orchestre rockabilly avec deux Bretons du cru et que leur complicité a une évidente dimension musicale. Après un sommeil que l'alcool a rendu lourd, c'est le temps des adieux. Trois bisous à Jilly, exubérante et charmante, championne toutes catégories de la marmelade, meilleure qu'à Londres, un ultime *happy birthday* à Bryan, déclamé et non chanté sinon j'aurais pu me juger responsable des robustes averses de pluie et de grêle qui ont agrémenté ma journée, et me voilà parti. Si je n'avais connu en 2013 quatre semaines consécutives arrosées d'une autre manière que les festivités de la veille, peut-être aurais-je qualifié d'affreuse cette journée, mais je suis maintenant totalement mithridatisé de ce point vue et j'accueille plutôt les intempéries du jour avec ironie. C'est en fait pour moi l'occasion de perfectionner ma technique pour enfiler en un tour de main ma familière cape rouge, puis l'ôter dès que les baguettes de la pluie drue cessent pour un instant de jouer du tambour dessus, afin d'éviter de macérer dans mon jus sous la couche étanche à tout, et bien sûr à la sueur, la remettre ensuite lorsque cela s'impose. Je suis devenu assez bon à ce jeu-là, stimulé encore dans l'accomplissement rapide de la manœuvre par la présence de Princesse mascotte accrochée à l'extérieur de mon sac et à qui je veux épargner de prendre froid ; nous n'en sommes encore tous deux qu'au début de notre aventure commune.

Mon gîte du soir, bien français celui-là, est de toute façon en mesure de me consoler des bien petites misères climatiques. Le manoir de Touallëron se révèle être une fort belle bâtisse du XVIIIᵉ siècle. Dominant la vallée à l'extrémité est des Montagnes noires, elle est meublée dans le style du logis et s'élève au sein d'un parc qu'agrémentent de somptueux massifs de lauriers-roses et, comme presque partout depuis le début de ma diagonale, de rhododendrons multicolores et luxuriants. Incertain de l'itinéraire à emprunter pour arriver jusque-là, je téléphone en chemin à l'hôtesse qui, après m'avoir aimablement renseigné, m'avise de ne pas arriver avant dix-sept heures, à la fin de sa leçon de harpe, ce qui me met déjà dans l'ambiance des lieux. Trois autres chambres sont occupées par des couples dont je fais connaissance dans le salon où, devant un feu de cheminée bienvenu, Nicole, l'hôtesse, sert un apéritif. Là, les circonstances de notre présence à tous sont révélées. Les trois couples ont bénéficié d'un « coffret-cadeau » qu'ils ont reçu et qui prévoit une soirée et une nuit de charme en ces lieux.

J'apprends à cette occasion que ce type de coffret offre une incroyable diversité de prestations, du week-end romantique au saut à l'élastique ou en parachute jusqu'à la nuit d'amour torride dans un igloo. Après que j'ai présenté mon projet, une dame fait remarquer que je suis bien le seul dans l'assistance ce soir-là à n'être pas un cadeau. Ne sachant comment prendre cette remarque, humour décalé au second degré ou sottise, je demeure bien entendu souriant et imperturbable. Je quitte ensuite les Montagnes noires par un paysage toujours vallonné de petits bois, de landes de bruyère et de champs cultivés que tous les agriculteurs du coin ont décidé ce matin-là d'engraisser en même temps par épandage de lisier, ce qui masque, je dois le reconnaître, l'odeur poivrée des genêts qui ont largement remplacé les ajoncs de la côte. Certes cela fait partie des joies de cette campagne que j'aime tant, mais je me prends pourtant à regretter, du strict point de vue olfactif, l'atmosphère iodée du cap Sizun.

Le cœur de la Bretagne,
la Bretagne au cœur

Depuis mon départ, le temps est, disons, breton ; il alterne, sous un vent de nord-ouest, les giboulées, la bruine et les périodes ensoleillées lumineuses et fraîches. J'ai dit, en 2013, le poignet brisé et doulou-reux, une plaie à la jambe, sous une pluie incessante et dans le froid, quelle allégresse me saisissait pourtant chaque matin aux premiers pas hors de mon gîte, le visage fouetté par la pluie et par le vent, l'oreille attentive aux chants des oiseaux, les narines frémissantes aux effluves variés d'une nature ruisselante[1]. Alors, pensez à ce que cela peut donner quand je chemine sous des cieux incroyablement plus cléments. Chaque matin le contraste est saisissant entre la fraîcheur ventée qui me saisit et la douceur du logis dont je sors, tous mes sens sont d'un coup aux aguets. Du premier coup d'œil, j'embrasse la campagne, ses prairies fleuries où paissent de paisibles vaches laitières, ce matin, des chevaux et des lamas (ce n'est pas un songe, je vous assure), ses landes dorées du reflet des ajoncs et des genêts, ses bois de hêtres, de charmes et de chênes, quelques pins de-ci de-là. J'observe la course éperdue d'un chevreuil, de deux lapins ou lièvres, l'envol bruyant d'une compagnie de perdreaux, parfois, à ce que je crois, d'un coq de bruyère qui, après avoir poussé un cri bref, jaillit de la lande. Les coucous sont matinaux, les tourterelles déjà roucoulent, les piverts entament leur petit-déjeuner rythmé, dans une cacophonie joyeuse de chants aigus d'oiseaux divers que je suis loin de tous reconnaître. Les premiers rayons du soleil, avant même de réchauffer la campagne, se reflètent de brin en brin, de brindille en brindille, sur lesquels perle la rosée. Ce scintillement argenté semble alors défier pour un temps le jaune qui bientôt s'imposera partout sans peine. Les senteurs subtiles de la terre, des fleurs, de l'herbe et des arbustes sont perçues avant même que la chaleur du jour ne les exalte. Le marcheur solitaire et matinal est quant à lui

---

1. *Pensées en chemin. Ma France des Ardennes au Pays basque, op.cit.*

chaque fois saisi de stupeur devant l'harmonie qui se dégage du spectacle, par sa puissance à évoquer l'image du bonheur. Alors, hors toute métaphore, les larmes montent aux yeux comme la rosée du cœur, le léger brouillard qui estompe alors les formes accroît la magie de ce que le regard voit et l'esprit perçoit. Vivre ces moments et ressentir ces émotions vaudraient, si je savais les rendre tels que je les sens, toutes les explications du monde sur la raison de mes errances.

J'ai débuté ma nouvelle traversée du pays par des paysages maritimes où l'ajonc seul prospère. Ici, au cœur de la Bretagne où se touchent les trois départements occidentaux de la province, ajoncs et genêts s'affrontent en une lutte sans merci pour l'emporter dans le flamboiement d'or. Les premiers donnent dans la force et l'agressivité, leur bois est si dur lorsqu'ils atteignent la taille de petits arbres que les anciens y taillaient leurs cannes. Les épines sont promptes à déchirer les imprudents qui s'aventurent à les cueillir sans précaution, les prenant pour des genêts, leurs rivaux. Ces derniers préfèrent les armes de la douceur, ils servaient jadis de doux balais. Les odeurs sont différentes, entêtantes l'une et l'autre, poivrée pour le doux, acidulée pour le dur. Leurs fleurs ne seraient pas du même jaune mais j'avoue avoir de la difficulté à déceler la différence. En revanche, le redoutable ajonc a des fleurs un peu plus petites que son adversaire, rarement plus qu'à demi ouvertes alors que l'aimable genêt écarte toutes grandes les pièces des siennes, de manière presque indécente. Après la Bretagne, je retrouverai le familier « arbre à balais » d'or tout au long de mon chemin, depuis l'Indre et la Creuse jusqu'aux Alpes-de-Haute-Provence.

Le chemin vers Glomel dans les Côtes-d'Armor, entre l'extrémité est des Montagnes noires et le prolongement oriental des monts d'Arrée, passe par de beaux lacs au bord desquels ma Princesse mascotte, que l'ambiance lacustre et sylvestre rend subitement romantique, tient à se faire photographier dans des parterres bleu vif de jacinthes sauvages. Elle met bien en valeur le bleu pastel de l'eau calme mais, il faut le reconnaître, jure un peu avec le gilet vert fluo de ma petite compagne. Les poulains en peluche ont des goûts étranges, mais je me prête si bien aux charmants caprices de ma lutine princesse que j'arrive relativement tard à mon B&B du jour. Là, un message m'attend qui me presse de contacter Isabelle, une femme pèlerin rencontrée en 2013 à Moissac, sur la *Via podiensis* qu'elle parcourait avec son époux. Informée par la presse de mon passage, elle a décidé de m'enlever avec son amie Françoise, comme elle enseignante des écoles chrétiennes. Le kidnapping est des plus amicaux et débute en famille par un dîner typiquement breton de galettes de sarrasin diverses suivies de crêpes de froment arrosées d'une variété de crus de cidre. On me vante bien sûr les merveilles de la région, on me conte ses traditions et me fait part de ses mutations. Puis les femmes, énergiques et décidées, considèrent que mon itinéraire des jours suivants me fera manquer trop de paysages et monuments qu'il serait un péché d'ignorer, qu'il convient par conséquent qu'elles me prennent en main. Je suis avisé de ne pas traîner et de justifier ma réputation de marcheur véloce pour parvenir tôt dans l'après-midi le lendemain à Perret, au terme d'une étape d'une petite trentaine de kilomètres, car on viendra à nouveau me chercher pour m'emmener là où je ne saurais manquer de me rendre. Je m'exécute, bien entendu, sourd aux caprices de ma princesse qui, inspirée à nouveau par un beau paysage d'étangs et de prairies grasses, puis par un premier trajet sur les bords du canal de Nantes à Brest que je retrouverai sous peu, est d'humeur bucolique.

Parvenu dès quinze heures trente à mon gîte, l'ancien presbytère de Perret, je suis accueilli d'abord par de sonores éclats de rire qui sonnent un peu faux et proviennent du jardin où s'est rassemblé un groupe de femmes. J'apprends que rien d'autre ne motive cette bruyante hilarité générale qu'une séance de yoga en plein air à laquelle participe mon hôtesse sous la direction d'une animatrice maîtresse en « rire thérapie » et qui en a fait son job. Les emplois sont devenus si rares dans ces coins reculés du centre Bretagne ! J'avoue que la méthode doit être efficace car, sans participer au « cours », je me mets à pouffer moi aussi, si bien qu'Isabelle et son amie arrivant sur ces entrefaites s'inquiètent de savoir si c'est leur venue qui provoque mon exubérance. Nous voilà partis tous trois en voiture vers les ruines de l'ancienne abbaye du Bon-Repos, en bordure de canal, austère bâtisse sombre du XVIIIe siècle qu'une association de bénévoles restaure. Le clocher, sa partie la plus remarquable, a été démonté et érigé près de l'église de Saint-Mayeux où je parviendrai le lendemain. Un peu plus loin, en forêt de Guerlédan, les Forges des Salles et leur château m'apparaissent autrement plus intéressants. Ils sont l'un des témoignages de la diffusion des fonderies et de la métallurgie sur tout le territoire national, là où le bois et le fer abondent. Créées au début du XVIIᵉ siècle par la grande famille des Rohan qui possédait la forêt et tout ce qu'elle englobe, dont l'abbaye, elles fonctionnent jusqu'à la fin du XIXᵉ siècle et sont depuis restées en l'état, y compris le haut-fourneau et les habitations des forgerons. Ce sont des cases à pièce unique et au sol en terre battue alignées sur le modèle classique des cités ouvrières d'antan. L'ensemble industriel, le somptueux château toujours habité par la famille noble qui possède maintenant la forêt et ses dépendances, le parc dans son écrin vallonné de verdure, tout cela est remarquable.

Mes amies me mènent ensuite pour une promenade pédestre en leur compagnie sur les crêtes et la lande de Liscuis qui dominent d'environ cent cinquante mètres la vallée du Daoulas. Les reliefs sont si marqués, les rochers si découpés et la végétation si rase que l'ensemble évoque un paysage de montagne sèche tel que j'en verrai tant dans les Alpes du Sud. Nos ancêtres celtes ont dû eux aussi être impressionnés par la sauvage beauté des lieux car ils y édifièrent trois remarquables « allées couvertes », ces monuments funéraires que j'ai déjà évoqués durant mon cheminement dans les Montagnes noires. Le soir tombe, l'ombre a envahi les gorges du Daoulas au pied des mégalithes, elle s'étire sur la crête à l'est des blocs rocheux aux formes parfois singulières, ce qui accroît l'impression d'étrangeté de l'endroit dont la surprenante beauté m'apparaît surnaturelle. Il est maintenant temps de me ramener à mon gîte-presbytère, non sans un détour par le bourg de Laniscat. Outre un clocher en granit sombre empreint d'une noblesse sans apprêt, on trouve dans la cité un exemple de ces loges typiques aux murs en feuilles d'ardoise où vivait, entassée dans une seule pièce, la famille des travailleurs des carrières de schiste qui constituaient l'une des richesses de la région. L'exploitation se faisait jadis en creusant des cavités de plus en plus profondes dans les veines schisteuses à flanc de coteau. L'exploitation de la main-d'œuvre par les maîtres carriers était impitoyable, le travail pénible et fort dangereux. Les blocs de schiste étaient ensuite découpés par les fendeurs qui en tiraient les plaques d'ardoise commercialisables, la « bleue de Bretagne ». Les moins belles pièces, celles qui contenaient des impuretés les rendant irrégulières, étaient récupérées pour la confection des loges comme celle de Laniscat.

Lors de notre départ pour Saint-Mayeux, le lendemain, Princesse mascotte semble me battre froid à cause de mon escapade de la veille en compagnie de deux dames et sans elle. Il va falloir que je l'amadoue. Je me dirige à nouveau, à pied cette fois, vers le canal à la hauteur de l'abbaye de Bon-Repos, puis longe vers l'est sa rive nord. Le Blavet, rivière canalisée comme l'Aulne et d'autres au XIXᵉ siècle afin de constituer le canal de Nantes à Brest, a été interrompu en 1930 par le barrage hydroélectrique de Guerlédan. Aussi, la voie d'eau se transforme-t-elle peu à peu en un lac de retenue enserré entre les pentes boisées qui bordent la vallée inondée. Comme je l'ai indiqué à propos de la lande de Liscuis et des gorges du Daoulas, les reliefs sont ici marqués et le sentier nord de Guerlédan fait passer le marcheur du bord du lac au plateau situé entre cent et deux cents mètres au-dessus par une succession de montées et de descentes fort abruptes dans la forêt. Cette étape longue et accidentée sera aussi l'une des plus belles de ma traversée de la Bretagne. L'itinéraire passe par plusieurs excavations laissées par l'extraction du schiste, ce qui permet d'éprouver ce qu'étaient les conditions de travail des ouvriers carriers. Il ménage, depuis des promontoires rocheux en bordure du plateau, des points de vue saisissants sur la forêt de Guerlédan profondément entaillée par la vallée. Le ciel est ce jour-là sans nuages, le lac sinueux à mes pieds a pris sa belle teinte bleu turquoise que met en valeur la forêt épaisse ininterrompue entre le plateau et les rives. Le vert foncé qu'y impriment les conifères est éclairci çà et là par des affleurements granitiques gris dont les cristaux de quartz et de mica scintillent, il tranche par endroits avec le miroitement bleuté de dalles d'ardoise. Au bord du lac, de petites plages artificielles de sable blanc rajoutent au contraste entre les bois foncés et le miroir de l'eau. Je descends sur l'une d'entre elles sur laquelle j'installe confortablement ma princesse par qui j'ai à me faire pardonner, et déjeune là dans un état proche de la béatitude. Il me faut ensuite rejoindre Saint-Mayeux au sommet du plateau au nord, en empruntant les gorges de Poulancre, comme repu de la beauté de ce cœur méconnu de la Bretagne, sans nul doute l'un des sites remarquables de ma diagonale entre deux mers.

La Bretagne, le territoire et la langue

Après Saint-Mayeux et son inévitable B&B isolé à près de trois cents mètres d'altitude, je redescends dans la plaine et laisse définitivement à l'ouest les derniers contreforts orientaux des montagnes bretonnes pour rejoindre Loudéac, puis, en me dirigeant désormais vers le sud-est, retrouver le canal de Nantes à Brest que je suivrai jusqu'à Guenrouët. Je franchis en progressant la frontière linguistique entre le français et la langue bretonne encore comprise sinon parlée dans le Finistère et la partie occidentale des Côtes-d'Armor jusqu'à, approximativement, Saint-Brieuc, ainsi que du Morbihan jusqu'à Vannes. Avant la conquête romaine, les Vénètes du Morbihan et les autres populations celtes de Bretagne parlent comme partout en Gaule des langues celtiques sans doute proches les unes des autres. Il est probable que le latin ne s'impose guère alors que dans les grandes villes, mais l'influence romaine se fait sentir bien au-delà et contribue à la naissance progressive d'un langage, le gallo, qui se répand d'est en ouest à travers la Bretagne. Dans l'île de Bretagne, c'est-à-dire la Grande-Bretagne, la situation diffère en ce que les Romains établissent des comptoirs plus qu'ils ne colonisent réellement le pays, où les langues celtiques ne sont guère modifiées. Après la chute de l'Empire romain, les invasions de la future Angleterre par des peuples germaniques, les Angles et les Saxons, plus ou moins contemporaines de l'arrivée des Francs en Gaule, amènent de nombreux Celtes insulaires, en particulier originaires du pays de Galles, à s'établir en Bretagne entre le Ve et le VIIe siècle, ce qui entraîne une évolution des langues locales vers le breton classique. Celui-ci, en effet aujourd'hui encore proche du gallois, entame alors une reconquête spectaculaire de la péninsule armoricaine. Les maîtres de la Bretagne parlent le breton et, au IXe siècle, à l'époque de la dynastie de Nominoë, cette langue s'impose du Mont-Saint-Michel à Nantes et à la pointe de la Cornouaille. Ensuite, les invasions normandes et l'influence croissante du royaume de France repoussent peu à peu le breton vers l'ouest, les politiques linguistiques répressives depuis la Révolution française et jusqu'à la dernière guerre feront le reste.

Une autre caractéristique de Breizh est bien entendu l'intensité et l'importance historique de la foi chrétienne et de la religion catholique qui a couvert la région d'églises et de calvaires et a profondément structuré la vie et les traditions de ses habitants. Cette vigueur de l'attachement à l'Église sera le moteur principal de la révolte populaire chouanne de 1791, lorsque la Convention promulgue la constitution civile du clergé. L'origine de cette ferveur religieuse est plus ou moins la même que celle de la constitution de la langue : les Celtes brittons, surtout gallois, fournissent cinq des sept « saints patrons » de BZH. Seuls saint Corentin et saint Patern seraient d'origine armoricaine, saint Brieuc, saint Samson, saint Paul Aurélien (ou saint Pol de Léon), et saint Malo viennent du pays de Galles et saint Tugdual du Denvon. La religion chrétienne est la seule officielle à la fin de l'Empire romain mais le paganisme reprend ensuite ses droits un peu partout alors que le druidisme n'a jamais vraiment disparu en Armorique et dans l'île de Bretagne ; il règne en maître en Irlande qui n'a jamais été conquise. Cependant, la foi chrétienne continue de vivre sous la forme d'un « christianisme celtique » sans lien organique avec l'évêque de Rome et les autres évêques. Héritier des riches traditions du monde celte, ce christianisme syncrétique est caractérisé par sa ferveur et son expressivité, les pardons bretons pourraient y trouver leur origine. Dans l'île de Bretagne indépendante des envahisseurs germains, c'est-à-dire en particulier le pays de Galles, il s'organise après Illtud au tout début du Ve siècle sous la forme de grands monastères dirigés par de puissants abbés et, en Armorique, plutôt auteur d'ermites isolés dont l'Irlandais saint Ronan, déjà évoqué. Les Gallois tentent de limiter tout contact avec les Angles, les Saxons, les Francs christianisés et autres peuples barbares mais contribuent de manière décisive à ré-évangéliser l'Armorique. Après beaucoup d'efforts, ils s'implantent en Irlande et font si bien que les moines et les abbés irlandais seront les grands ré-évangélisateurs de l'Europe continentale avant d'être supplantés eux-mêmes par les moines continentaux liés à Rome, en particulier les bénédictins cisterciens à partir du XIe siècle. Robert de Molesme, fondateur de l'abbaye de Citeaux, vient d'Irlande, il est de ces moines « post-celtiques » qui ont remplacé les missionnaires irlandais des VIIe et VIIIe siècles. Les moines trappistes cisterciens de l'abbaye Notre-Dame-de-Timadeuc qui m'accueilleront sur la commune de Rohan dans le Finistère sont, en somme, les successeurs modernes de ce processus.

La frontière linguistique qui n'a cessé de se déplacer au cours de l'histoire n'a jamais vraiment divisé la Bretagne dont le sentiment unitaire demeure une évidence et m'apparaît comme une force. Breizh historique s'étendait en réalité à l'est bien au-delà de Nantes, siège du château ducal où régna la duchesse Anne. La ville de Clisson était par exemple incontestablement bretonne et son suzerain Olivier de Clisson gît avec son épouse Marguerite de Rohan dans un magnifique mausolée en l'église de Josselin. Je m'apercevrai bientôt que les habitants de la Loire-Atlantique, au moins ceux du nord de la Loire, se sentent bretons, se vivent bretons malgré leur détachement de la province, d'abord par le régime de Vichy qui la rattacha en 1941 à la préfecture d'Angers plutôt qu'à celle de Rennes, définitivement en 1951 par le décret Pflimlin créant les « régions de programme, supports de l'aménagement du territoire ». L'attachement à Breizh des communes se manifeste par l'ostentation, perdue dans de nombreuses cités bretonnes orientales de la province, d'indiquer sur les panneaux routiers leurs noms en français et en breton, par exemple Guenrouët et Gwenred, Le Gâvre et Ar C'havr. Chaque bourg possède là-bas sa cidrerie artisanale ou industrielle, de nombreuses maisons sont décorées du drapeau breton, le Gwenn-ha-Du aux bandes blanches et noires et aux mouchetures d'hermine. Bien entendu, cette question de la composition de la Bretagne est ravivée par la réforme territoriale qui se profile. Pour l'instant, le *statu quo* l'emporte pour les régions de Bretagne et des Pays de la Loire auxquels la Loire-Atlantique devrait rester associée. Au moins pour ce qui concerne la partie du département située au nord de la Loire, nul doute que ce soit là une perspective moins logique que le rattachement à la Bretagne, sa province historique. Une difficulté supplémentaire vient de ce que la question se pose en des termes sans doute différents pour le sud du département. Si Pornic conserve un nom et des caractères bretons peu contestables, cela n'est plus vraiment le cas du pays de Retz. Quant au « Marais breton », ses caractéristiques le rattachent en fait, malgré son nom, plus à la Vendée qu'aux départements bretons. Cependant, si un référendum local était organisé sur l'ensemble de la Loire-Atlantique, je suis persuadé qu'une majorité de citoyens pencherait pour la Bretagne. La question de la réforme territoriale en préparation sera abordée dans presque chaque région traversée. Chercher à ménager un certain équilibre entre la richesse et la population des futurs ensembles ne saurait suffire. Le dynamisme de ces territoires dépend aussi de l'attachement des habitants à leur histoire et à leur culture. Il est de la sorte essentiel que leurs populations puissent aussi se « réapproprier » les nouvelles entités.

Le modèle breton en question

En plaine, depuis Saint-Guen vers Loudéac puis Rohan et Pontivy, les techniques d'agriculture intensive et d'élevage hors-sol de porcs, poulets et veaux, éléments constitutifs du « modèle breton » s'affirment. Sur ces terres, la culture du maïs fourrager se fait sous film plastique et certains producteurs font trois récoltes d'épinards par an. Bien entendu, les lisiers des installations d'élevage en batterie et les effluents des intrants agricoles s'associent pour contaminer les eaux des estuaires et des baies où se jettent les rivières, elles menacent les nappes phréatiques et aggravent la croissance des algues vertes. Le décès dans les Côtes-d'Armor en août 2009 d'un cheval que son cavalier avait amené sur la plage de Saint-Michel-en-Grève infestée de ces algues a eu un retentissement considérable. Confrontés à ces dégâts écologiques, dénoncés aussi par les autorités de Bruxelles, les cultivateurs et les éleveurs ont commencé à faire d'importants efforts qui devront sans doute se poursuivre et même s'intensifier pour assainir la situation.

Lorsque la presse et autres médias évoquent le modèle économique breton, c'est le plus souvent sur le ton de la dénonciation du productivisme et de ses conséquences sur l'environnement. La faillite retentissante d'acteurs majeurs de l'élevage et de l'abattage industriel des porcs et des poulets a justement attiré l'attention sur l'ineptie d'une production intensive de cette viande plutôt bas de gamme dans une région aussi excentrée que la Bretagne et dans un pays dont les coûts salariaux et sociaux ne sont pas les plus rentables du monde. Les poulets en particulier sont ainsi vendus dans les monarchies du Golfe où ils affrontent la concurrence de volailles provenant de pays aux salaires et charges sociales et environnementales très inférieurs aux nôtres. Tout cela est exact et impose des corrections, voire des réévaluations importantes des stratégies, mais n'est que la partie sombre de la réalité et le modèle économique breton comporte aussi des aspects plus positifs. Avec trois millions d'habitants, Breizh est une région fort peuplée et à cinquante pour cent rurale. Pourtant, elle a réussi la performance remarquable de donner un emploi à quatre-vingt-dix pour cent des habitants en âge de travailler. Malgré la crise irréversible de la pêche et des activités connexes, le taux de chômage est là un peu en dessous de la moyenne nationale, ce qui constitue un exploit incontestable. Loudéac et sa communauté de communes ont l'un des plus bas taux de chômage du pays, le plus bas de Bretagne. À côté de l'agroalimentaire qui est le secteur de loin le plus important, un réseau diversifié de PME s'en sort plutôt bien. Contrairement à la situation de Douarnenez où la ressource halieutique (les sardines) s'est épuisée, rien de tel ne menace en ce qui concerne la matière première de la charcuterie et de la biscuiterie comme en témoigne la zone industrielle étendue et active de Loudéac que j'ai traversée de part en part pour me rendre à Rohan. Une autre limite de ce type de développement est qu'il repose sur une main-d'œuvre peu qualifiée qui travaille pour l'essentiel au SMIC. Pourtant, pour avoir longuement cheminé en 2013 dans des villes où le taux de chômage avoisinait les vingt pour cent (Bogny-sur-Meuse, Nouzonville, Charleville-Mézières, Decazeville), je ne peux qu'apprécier la différence avec la Bretagne. Historiquement, cette industrie agroalimentaire s'est développée lorsque certains des enfants des agriculteurs qui ne pouvaient plus travailler sur l'exploitation familiale se sont trouvés disponibles pour fournir de la main-d'œuvre à des artisans, charcutiers ou biscuitiers, soucieux de développer leurs affaires. Dans ce système, les frères agriculteurs produisaient ce que les frères ouvriers transformaient. Cependant les logiques de la croissance des entreprises, des aides, notamment européennes, mal ciblées et la demande des centrales d'achat des grands distributeurs ont mené à une autonomisation de principes managériaux de production de masse à bas coût (du moins les plus avantageux possible).

Il est intéressant de rappeler les causes du productivisme breton de biens peu onéreux. Les responsables agricoles, ceux des syndicats professionnels et des grandes coopératives, ont considéré dans les années 1960 qu'ils avaient pour mission de « nourrir les Français » en mettant sur le marché des denrées à prix modérés. Les groupes de grande distribution bretons ou installés en Bretagne ont bien sûr poussé dans le même sens, incitant les cultivateurs à adopter massivement ce modèle. Bien entendu, ce qui faisait sens dans une économie encore largement contrôlée et aux frontières peu perméables ne l'est plus dans un système de libre-échange presque total lorsque d'autres pays que la France sont dans une bien meilleure situation qu'elle pour produire dans ces conditions. Le caractère absurde de la persistance en 2014 de cette répartition des tâches – impossible, il est vrai, de changer de logique en un tour de main – est illustré par l'exemple des forts onéreux jambons de Corse et d'Aoste, produits en réalité pour la plupart en Bretagne et affinés seulement dans leur zone d'appellation contrôlée qui captent pourtant l'essentiel de la valeur ajoutée ! Contrairement à d'autres régions, le Sud-Ouest en particulier, peu d'efforts ont porté sur la typicité alors que la qualité des matières premières et la place de la Bretagne dans le cœur des Français et des étrangers l'auraient sans doute permis. Il est stupéfiant d'observer qu'excepté l'andouille de Guémené et le beurre, il n'existe que très peu de produits d'appellation contrôlée ou protégée dans la province. Principale productrice de lait du pays, elle ne possédait presque aucune spécialité de fromage et commence juste à s'intéresser à ce genre de produits. Le défi du futur pour BZH sera de conserver ce qui, dans son modèle, explique un dynamisme qu'il est juste de saluer tout en sachant le réorienter non plus vers la seule quantité mais aussi vers la spécificité et la qualité supérieure. Les entrepreneurs bretons en sont capables. J'ai ainsi rencontré à Landrévarzec des salariés d'une grande PME de conserverie transformation qui avait mis sur le marché des produits tels que les rillettes au homard bleu breton, aux Saint-Jacques, etc. Fameuses, d'ailleurs, j'y ai goûté. Les Bretons dont j'ai déjà noté l'incontestable ressort à Douarnenez possèdent selon moi la capacité d'entreprendre une telle réorientation, je leur souhaite bonne chance.

Au fil du canal

On accède au canal de Nantes à Brest depuis Nantes en remontant l'Erdre. Elle permettait, avant son interruption par la construction du barrage de Guerlédan dans les années 1920, d'atteindre Brest après un parcours de trois cent soixante-quatre kilomètres qui emprunte largement le cours de huit rivières bretonnes canalisées pour l'occasion. Les premiers projets de percement de l'ouvrage datent du XVIIIe siècle mais les travaux ne débutent que le siècle suivant sous l'ordre de Napoléon. En effet, le blocus anglais rend alors extrêmement hasardeux le trafic en haute mer entre les deux grands ports, et le canal aura pour but de contourner ce blocus en passant à l'intérieur des terres. Le chantier est gigantesque, y travaillent et parfois y périssent des milliers de bagnards et de prisonniers de guerre, surtout des Espagnols. La liaison n'est achevée qu'en 1842 alors que la paix règne depuis longtemps entre les deux nations ennemies, si bien que l'ouvrage n'a en définitive jamais été utilisé à des fins militaires. Les bateaux, halés au début par des chevaux que mènent les femmes de mariniers tandis que leurs maris sont au gouvernail, ont joué un rôle significatif dans l'amendement des sols bretons par la chaux, pour lutter contre leur acidité, et par les phosphates. Au retour, les péniches emportent diverses cargaisons encombrantes, des ardoises, du bois ou du sable, par exemple. Son intérêt économique, qui n'a jamais été considérable, diminue vite devant le développement du transport ferroviaire puis routier. Il assure aujourd'hui une navigation de plaisance encore faible mais en développement et son chemin de halage, comme celui des autres canaux bretons, constitue surtout une superbe voie verte à travers la Bretagne, un trajet pour moi commode et presque idyllique à partir du moment où j'ai quitté la partie accidentée de mon parcours breton. Princesse mascotte, passablement lassée de mes longues marches à travers la campagne agricole bretonne surexploitée et parfois malodorante, peu sensible à mon enthousiasme pour les entreprises de biscuits et d'andouille, y retrouve sa joie d'être une ravissante pouliche en peluche. Elle se serait bien arrêtée à chaque écluse, devant chaque massif d'iris des marais d'un jaune vif, à chaque passage d'oiseaux migrateurs. J'aime ce romantisme poétique et cette sensibilité à la beauté de la nature de ma princesse.

Rejoignant le canal à Rohan dans le Morbihan en venant de Loudéac dans les Côtes-d'Armor, je commence par le suivre sur deux kilomètres jusqu'à l'abbaye de Timadeuc, vaste ensemble monastique du XIXe siècle qu'occupent et animent des trappistes cisterciens. Frère Denys, en fait un séculier accueilli par la communauté parce qu'il était en délicatesse avec son évêque en Avignon, m'a contacté dès que j'ai évoqué en septembre 2013 mon projet de diagonale entre deux mers au départ de Bretagne. Nous étions convenus que je passerais un après-midi et une soirée avec les moines et que je m'entretiendrais avec eux. Frère Denys me guette, appareil photo en main, à l'une des deux cent trente-huit écluses de l'ouvrage. Il me mène sans tarder au père abbé Benoît, un homme de grande taille et d'une vive intelligence, de belle prestance dans sa tunique blanche recouverte en partie d'un scapulaire noir serré à la taille par une ceinture orange. J'assiste comme j'y suis invité aux vêpres puis, avant complies, je rencontre durant quatre-vingt-dix minutes l'ensemble de la communauté des dix-huit trappistes valides (d'autres, très âgés ou malades, restent à l'infirmerie), en présence de quelques dizaines de laïcs de la fraternité de Timadeuc. Après un bref exposé liminaire de mes motivations, en particulier de ma quête de la beauté, et la confession sans fard de mon total agnosticisme, la conversation s'engage à l'initiative des participants. Elle embrasse maints sujets, de la subjectivité de la beauté aux plantes transgéniques, au déterminisme génétique, à la transcendance et à l'agriculture bretonne. Le débat se caractérise, outre son éclectisme, par la liberté de ton et la diversité des personnalités – par conséquent des positions – des frères. Benoît, le père abbé, a été élu par la communauté des moines, le « chapitre », et doit chercher l'accord de tous avant chaque décision importante. Cependant, son autorité m'apparaît immense. Quant à Denys, avec qui je dîne le soir, il m'étonne par son ouverture d'esprit, qu'il s'agisse de la vie sacerdotale, de la place des femmes dans l'Église ou de l'évolution des mœurs. J'ai en fait bien souvent noté que ces qualités sont en général bien plus développées chez les religieuses et les religieux que chez beaucoup des fidèles pratiquants. Spectateur attentif des offices de vêpres et complies – j'avoue n'avoir pas le courage d'interrompre le sommeil du marcheur en risquant de réveiller ce faisant ma princesse pour me rendre aux vigiles et aux laudes –, je renoue avec ce sentiment étrange du noncroyant de culture et d'éducation catholiques lorsqu'il est confronté à la beauté de la liturgie. Je ne suis à l'évidence pas insensible à l'image des moines en robe blanche alignés dans le chœur devant les stalles et à la grave et poétique beauté qui se dégage de leurs chants à l'unisson. Mon émotion procède sans doute à la fois des souvenirs de ma jeunesse, d'un plaisir esthétique et de mon intérêt parfois vaguement envieux pour la foi des autres.

À mon départ le matin, Denys me propose un piquenique que je refuse. En effet, j'ai rendez-vous pour déjeuner au bord du canal avec Pascale et Éric, à proximité immédiate de la chapelle Notre-Dame-des-Fleurs à Pomeleuc. Tous deux m'ont contacté depuis longtemps déjà et m'ont avisé de ne pas m'encombrer des nourritures terrestres que les frères me proposeraient car ils m'attendraient avec des parents et des amis, dont des « grands-mères » qui se proposaient de se mettre sans tarder aux fourneaux pour me régaler. Je trouve sans difficulté la belle chapelle du XIIIᵉ siècle dégagée au milieu d'une prairie où s'élève aussi un extraordinaire calvaire dont la croix est adossée à une émouvante et sobre pietà. Comme promis, on m'attend, des tables sont dressées, elles débordent de victuailles diverses. Je contribue au festin grâce à des produits de l'abbaye que

Denys a tenu à me voir emporter, un fromage aux noix et des pâtes de fruits. Le maire de Pomeleuc, un agriculteur, se joint à nous et nous partageons un moment privilégié auquel contribue la beauté du lieu, un grand soleil, la chaleur des convives et l'intérêt des discussions qui portent avant tout sur Breizh et ses habitants, sur la vision que j'en ai, confrontée à ce que vivent les Bretons ici assemblés. Mais je ne peux m'attarder, Josselin où je fais étape est encore éloigné. Je resangle sur mon sac Princesse mascotte qui somnolait à l'ombre d'un bel arbre sous lequel je l'avais installée et nous voilà repartis, un peu lourds mais comblés.

Josselin, la ville des Rohan, est une splendeur. Les tours aux toits coniques couverts d'ardoise et la muraille crénelée de son fier château des XIII et XVe siècles se reflètent dans le canal qui suit ici le cours de l'Oust. Josselin de Rohan, le dernier du nom, y habite encore souvent. Cette belle cité aux maisons bretonnes à pans de bois contient plusieurs monuments de première importance. L'église Sainte-Marie-du-Roncier abrite le beau mausolée d'Olivier de Clisson, déjà évoqué. Dans le faubourg de Josselin, la blanche et médiévale chapelle Sainte-Croix est le plus ancien édifice religieux de la commune. Dès l'heure de l'apéritif et jusqu'après le dîner, je discute avec le maire, certains de ses adjoints et des notabilités des différents problèmes auxquels doit faire face une petite ville comme Josselin qui n'est pas épargnée par les difficultés évoquées du modèle breton. La principale entreprise y est en effet GAD et ses abattoirs de porcs qui emploient huit cents salariés. En grande difficulté, sa liquidation judiciaire sera annoncée en septembre 2014, ce qui constitue bien entendu une menace de premier ordre pour les habitants d'une agglomération de 2 500 âmes dépourvue de perspectives nouvelles d'emplois pour prendre la relève.

Ma prochaine étape après Josselin au fil du canal est Malestroit, elle aussi jolie cité médiévale du Morbihan sur les bords de l'Oust. Ma présence sur le canal étant connue, annoncée ville après ville par les journaux locaux (*Ouest-France* et *Le Télégramme*), j'ai parfois quelques difficultés à cheminer incognito comme je parviens à le faire sinon. À voir certains jours le nombre de gens tenant à me serrer la main et à se faire photographier avec moi, je m'imagine dans la situation des souverains anciens réputés capables par leur toucher de guérir les écrouelles. En quittant le chemin de halage à l'entrée de Malestroit, un homme qui m'attendait manifestement depuis longtemps m'interpelle. « Vous êtes bien Axel Kahn, n'est-ce pas ? – En effet, c'est bien moi, ravi de vous rencontrer ! – Mais, dites-moi, monsieur Kahn, les livres suivent, n'est-ce pas ? » Cet homme s'imagine que ma marche s'apparente à une tournée de promotion, de vente et de dédicaces de *Pensées en chemin*, il attend la camionnette ou la carriole à bras chargée des ouvrages et désire s'en faire dédicacer un. Une fois en ville, face à l'église Saint-Gilles dont j'admirerai les étonnantes fresques du XVe siècle, récemment découvertes et restaurées, une jeune femme attablée à la terrasse d'un restaurant m'aborde elle aussi. Par un singulier hasard, elle discutait de mon livre avec son compagnon et en tient un dans la main que je peux signer.

Je suis un peu anxieux en quittant Malestroit pour Redon, et par conséquent aussi le Morbihan pour l'Ille-et-Vilaine. Trente-huit kilomètres séparent en effet les deux villes alors que l'on m'attend au plus tard à dix-sept heures pour l'enregistrement d'une vidéo consacrée aux personnes handicapées, puis pour une séance de dédicaces dans la grande surface de la ville. Je préviens Princesse mascotte que je resterai ce jour-là sourd à ses caprices champêtres et marcherai sans m'arrêter, sinon pour un rapide repas, m'efforçant de paraître indifférent aux manifestations probables de sa déception. Je me tiens si bien à ces résolutions que j'ai déjà parcouru vingt-quatre kilomètres à l'heure du déjeuner. Un peu lassé de mon cheminement sur le bord du canal que je suivrai au total sur cent vingt kilomètres, je décide, après m'être restauré et pour changer de paysage, de quitter le chemin de halage et de passer durant une dizaine de kilomètres par les coteaux en bordure de l'Oust canalisé pour ne le retrouver qu'une dizaine de kilomètres plus loin à l'entrée de la cité. Je suis alors inconscient de ce que le pays de Redon regorge de cours d'eau qui se ressemblent plus ou moins tous. Je crois par conséquent redescendre sur le fameux canal dont je longe la rive droite, d'abord en toute quiétude puis de plus en plus inquiet : on m'avait changé mon très civilisé chemin de halage bien propret pour une mauvaise sente mal défrichée. Les finances des autorités locales doivent être au plus bas, pensé-je. Heureusement, un paisible pêcheur m'informe que si je chemine en effet au bord de l'Oust, ce dernier, profitant lâchement de mon absence temporaire, a repris son autonomie et n'est plus le canal de

Nantes à Brest auquel il était confondu depuis Rohan. Je me dirige tel que je suis parti vers la confluence avec la Vilaine, à bonne distance de Redon. Demi-tour, il le faut bien pour trouver un pont, l'heure tourne, je marche aussi vite que j'en suis capable. À l'arrivée, juste dans les délais, mon compteur GPS m'apprend que j'ai parcouru quarante-deux kilomètres.

L'équipe chargée de l'enregistrement vidéo me cherche désespérément et finit par me trouver sur le bord du canal lorsque, passablement épuisé, je m'approche de la ville. Il est tard, il me faut me prêter dans l'instant à l'interview et aux prises de vues. Je suis président d'une fondation d'aide à la recherche sur le handicap et ai accepté d'enregistrer durant mon périple l'allocution d'ouverture d'une manifestation traitant de ce sujet. Notant que, las d'avoir marché quarante-deux kilomètres, j'ai pourtant la chance d'avoir pu le faire, comme j'ai su me guider d'après ma carte, voir les paysages, entendre les bruits de la nature, donner sens à tout cela, je dédie mes efforts à tous ceux qui n'ont pas ces possibilités et appelle à la solidarité renforcée envers elles. Puis, après une douche rapide à mon gîte du jour, je me rends sans prendre le moindre repos au rayon librairie de la grande surface où m'attend une file impressionnante de lecteurs pour une longue séance de rencontre-dédicaces qui se termine bien après l'heure normale de fermeture du magasin. J'entre ensuite en contact avec l'association bretonne des amis des chemins de Saint-Jacques-de-Compostelle dont cent vingt adhérents font ce soir-là étape à Redon, lors d'une marche annuelle sur les sentiers jacquaires de BZH.

Je les retrouverai le lendemain durant toute une partie de ma route vers Guenrouët et Le Cougou. Lorsque je suis enfin libre, le soleil couchant se reflète dans les eaux du pittoresque port fluvial de Redon, ses derniers rayons caressent d'une lumière douce la façade des belles maisons patriciennes des commerçants et, un peu à l'écart, des demeures plébéiennes des mariniers, je suis épuisé. Plus inquiétant, mes genoux persistent à témoigner d'une mauvaise humeur grandissante alors que je n'ai pas encore parcouru plus de quatre cents kilomètres qui sont loin d'être les plus difficiles. Après un bon dîner dans une auberge du quartier du port, je rentre à mon petit hôtel en traînant la jambe gauche.

Je ne quitte bien entendu pas Redon sans faire un détour par la basilique Saint-Sauveur et son étonnante tour dans le plus pur style roman saintongeais, puis m'éloigne vers l'est sur les bords du canal où je sors aussitôt de la Bretagne administrative – mais non pas sentimentale et historique, je l'ai dit – pour aborder par la Loire-Atlantique la région des Pays de la Loire. Après une dizaine de kilomètres, je laisse le chemin de halage pour serpenter dans la campagne afin de jeter un œil sur l'étang d'Aumée et visiter de jolies chapelles bâties sur les voies jacquaires du pays de Redon. Puis je retrouve mon canal familier pour me diriger vers mon gîte du soir au Cougou, à deux kilomètres de la rive et quatre kilomètres avant Guenrouët. Je chemine en toute quiétude, en fait au bord d'une paisible et large rivière qui conflue avec l'Izac et, jusqu'à Blain, est dépourvue d'écluse. Les anguilles, brochets et autres poissons blancs abondent, les pêcheurs aussi. La gent ailée aime manifestement ces lieux en forme d'estuaire et de marais, et je reconnais, outre les oiseaux de mer habituels, des aigrettes, des hérons cendrés, quelques cigognes grises, des poules d'eau, des canards colverts et siffleurs, des morillons, milouins, foulques et sarcelles. Les rives et les marais de part et d'autre sont couverts d'iris, de cirses, de roseaux et d'autres plantes plus communes, Princesse mascotte est aux anges. Je la laisse musarder car je n'ai en principe que vingt-cinq kilomètres à parcourir, autant dire presque rien comparé à ce à quoi je suis habitué. De quoi me reposer de mes fatigues et émotions de la veille, en somme. En milieu d'après-midi, mon appareil GPS m'indique que je me trouve en principe à seulement trois kilomètres de ma destination du jour. Cependant, j'ai beaucoup de mal à repérer le hameau du Cougou sur mes cartes. En agrandissant celle de l'appareil GPS, je me rends compte de la catastrophe : je me trouve certes désormais à quelques encablures de mon but mais il est situé au sud de la large voie d'eau dont je parcours la rive nord. Vite, trouvons un pont. Hélas, il n'y a pas d'écluse, je l'ai dit, et les ponts sont espacés d'une quinzaine de kilomètres. Princesse mascotte me fait remarquer que, quant à elle, elle flotte et que si on voulait bien la pousser, elle traverserait là. En ce qui me concerne, je regrette de n'avoir pas demandé aux trappistes de Timadeuc si un retour immédiat en dévotions et à une foi à déplacer les montagnes me permettrait à moi aussi, comme à un glorieux prédécesseur, de marcher sur les eaux. En l'absence d'indication explicite sur ce point, j'écarte la tentation d'une imitation hasardeuse du Nazaréen, par doute quant à l'authenticité de ma foi ou par couardise, et, toute honte bue, je poursuis mon chemin jusqu'à Guenrouët. Là, un pont me permet de traverser le canal et de repartir en sens inverse vers Le Cougou. Adieux mes rêves d'une étape réparatrice et paisible. Il est fort tard lorsque, après treize et non pas trois kilomètres de plus, je parviens enfin sous des trombes d'eau à la maison d'hôtes, terme de l'étape.

Marie-Pascale m'y accueille dans une vieille maison traditionnelle dont la pièce principale au rez-de-chaussée est une cuisine-salle de séjour et salle à manger dans laquelle trône une impressionnante cuisinière à bois de l'ancien temps. Mon hôtesse est une écologiste déterminée qui me recommande de recueillir l'eau de ma douche chauffée au soleil (quand il y en a) avant qu'elle ne soit tiède, pour l'arrosage du jardin. Pas question de gaspiller le précieux liquide, toute chasse d'eau est prohibée, la sciure de bois fera l'affaire. Marie-Pascale me fait l'amitié d'activer son wi-fi juste le temps de poster mes photos et messages avant de nous libérer de ces ondes maléfiques. Elle témoigne d'un respect exigeant envers la nature, ses ressources et ses produits, est attachée à aimer et à protéger ses vies, et se révèle être une véritable magicienne dans la transformation des orties, des graines, des châtaignes, des baies sauvages et autres herbes en mets singuliers et succulents.

Mon séjour écologique m'a ragaillardi, je refais en m'éloignant du refuge vert de Marie-Pascale et sans maugréer le chemin inverse de la veille, repasse par Guenrouët et par le pont, longe encore le canal sur quelques centaines de mètres puis le quitte définitivement alors qu'il se dirige vers Blain. Je préfère quant à moi passer plus au nord par la grande forêt du Gâvre et le bourg du même nom. À l'auberge du village, on m'attend. Gérard, l'hôtelier, et sa femme, Marie-Hélène, ont réuni des habitants de la petite cité franche, un vieux sabotier de quatre-vingt-huit ans, le responsable du musée de la Forêt et de ses métiers, un élu de sensibilité écologiste, d'autres citoyens encore. La conversation est animée, instructive et chaleureuse, tout y passe, des bois de marine que fournissait la grande forêt du Gâvre, des sabotiers qui y travaillaient la semaine et vivaient dans des loges, des charbonniers qui y demeuraient plusieurs mois, des tonneliers, charrons, scieurs de long, charpentiers... Extraordinaire évocation ! On m'emmène ensuite dans le hameau de la Magdeleine en bordure de la forêt, visiter une petite chapelle avec une émouvante Notre-Dame de Grâce du XVe siècle. Son visage serein et bon est sublime. Bien sûr, la polémique sur le projet de construction d'un grand aéroport régional à Notre-Dame-des-Landes, toute proche, ne pouvait pas ne pas être évoquée... Elle l'est au dîner, opposant des camps équilibrés d'adversaires d'une gabegie inutile qui constitue une menace pour l'environnement et de partisans d'un projet à la hauteur des ambitions économiques de la Bretagne et du pays nantais, de plus pourvoyeur de milliers d'emplois. Je me fais l'avocat du diable et pousse les parties adverses dans leurs retranchements mais demeure prudemment neutre.

Il ne me reste plus maintenant qu'à contourner Nantes par le nord, via Nort-sur-Erdre puis Ancenis pour parvenir à la Loire en de très longues marches de liaison un peu monotones et fatigantes. Je progresse vite, toutes les articulations des membres inférieurs sont sollicitées à cent pour cent et de ce fait pas ménagées. Comme je le fais depuis des décennies, je méprise leurs protestations mais observe à nouveau que celle du genou gauche tend à devenir tonitruante. Peut-être ces parcours où, des heures durant, presque rien de l'environnement ne distrait le marcheur du tête-à-tête avec son corps et les divagations de sa pensée sont-ils les épisodes les plus représentatifs de son univers, les plus purs parce que les plus dépouillés. L'homme qui marche n'est alors qu'une carcasse qui peine et un esprit qui l'habite, la ressent mais s'en évade sans aucune aide, bel oiseau alors qui prend son envol dans des cieux dont il dessine l'atmosphère et les contours.

Je retrouve pour un adieu définitif « mon canal » à Nort, dernière ville avant que d'aborder un nouveau territoire, celui des vignes dont les rangs sont ornés de roses sentinelles (rôle joué grâce à leur sensibilité à l'oïdium, une maladie fongique) et de la pierre de tuffeau. On est le 24 mai, je marche depuis dix-sept jours et c'est demain la fête des Mères. J'emprunte des sentiers agricoles bordés de multiples fleurs fraîchement écloses, aubépines, centaurées, délicats glaïeuls sauvages pourpres, trèfle rouge, etc. J'en confectionne le plus beau bouquet photographique possible en me promettant de le poster dès le lendemain matin sur les réseaux sociaux à destination de toutes les mères de France et d'ailleurs. Ce sera aussi le premier des quatre jours de repos que je me suis octroyés d'ici mon arrivée à Menton, après une longue intimité avec cette autre mère nourricière que je quitte maintenant, la Bretagne.

III

Les pays du tuffeau
De la Loire à la Brenne

*Un dimanche ligérien et européen,
la vague sécessionniste*

À une déjà longue étape, j'ajoute ce samedi 24 mai
un ample détour par les faubourgs d'Ancenis afin
d'aller louer une voiture que je compte utiliser le
lendemain pour visiter avec ma princesse Angers
et ses environs, de part et d'autre de la Loire. Le
dimanche 25 mai 2014 est jour d'élection des repré-
sentants des pays de l'Union au Parlement européen,
j'ai donné procuration avant mon départ le 8 mai à
une personne de confiance pour qu'elle vote à ma
place. J'ai de la sorte le cœur léger en prenant tout
mon temps dans le petit hôtel en bord de Loire où
j'ai décidé de résider pour ce jour de repos avant de
me mettre en route via la rive gauche du fleuve et le

Liré de Joachim du Bellay. J'ai à l'esprit le mythique poème :

> Heureux qui, comme Ulysse, a fait un beau voyage,
> Ou comme celui-là qui conquit la toison,
> Et puis est retourné, plein d'usage et raison,
> Vivre entre ses parents le reste de son âge !

J'ai quant à moi suivi plutôt l'exemple de Jacques Lacarrière, ou d'un homme âgé rencontré il y a bien longtemps dans le mauvais temps sur une crête du massif du Sancy[1], je ne suis pas, après de longs voyages, demeuré en famille le reste de mon âge ! J'accepte la déclaration d'amour à l'Anjou du poète de la Pléiade :

> Plus mon Loire gaulois, que le Tibre latin,
> Plus mon petit Liré, que le mont Palatin,
> Et plus que l'air marin la douceur angevine.

J'aime cependant aussi la mer et la montagne, les opulents coteaux et les déserts de pierres, de France et d'ailleurs, et ferais tout pour ne jamais les délaisser, eux non plus. D'autre part, les vers de du Bellay résonnent singulièrement en ce jour d'élections européennes où la vigueur des nationalismes se confrontent à l'édification de l'Europe. Parvenu à Liré, j'installe Princesse mascotte au milieu des roses et des plantes grasses du jardin Renaissance du musée consacré au poète et m'assois sur un banc en face d'elle, songeur.

---

1. *Pensées en chemin. Ma France des Ardennes au Pays basque, op. cit.*

Mes propres analyses insistent, cinq siècles après le poète de la Pléiade, sur la force conférée par l'amour de sa terre. Dans des populations souvent résignées au pire et où chacun est enclin à se replier sur soi et les siens, l'attachement à un petit Liré, aux pays de Loire et à leur douceur est une réhabilitation du sentiment partagé, presque de l'action commune à tous les amoureux du territoire. Sortir d'un individualisme désespéré pour parvenir aux limites de la région, l'Anjou ou une autre, représente déjà une grande partie du chemin qui peut conduire à la nation et, pourquoi pas un jour, à l'Europe. Réconforté par cette réconciliation possible entre le sentiment du poète et mes observations, je décide de communier avec du Bellay dans la beauté des bords de Loire. À Angers que je connais bien mais dont je ne me lasse pas, je m'émerveille des voûtes angevines si élégantes de l'abbaye du Ronceray, de ses fines nervures qui ruissellent sur le tuffeau depuis les clefs rondes et élevées. Je suis comme chaque fois impressionné des formidables murailles sombres à raies blanches du château des Plantagenêts sur la rive gauche du fleuve.

Il est temps maintenant de rejoindre mon auberge et de prendre connaissance des résultats des élections du jour. Je n'en attends rien de bon. J'explique dans *Pensées en chemin* les ressorts qui poussent des populations entières à faire sécession avec le discours « raisonnable » que leur tiennent les forces politiques « de gouvernement ». Ces sécessionnistes sont persuadés que des forces hostiles, en particulier les élites, Paris et l'Europe, leur veulent du mal, que, après avoir ruiné un passé largement idéalisé, elles préparent un avenir encore pire que ce présent honni. J'y explique le succès du Front national et de son programme de retour au passé, aussi absurde soit-il, auprès des sécessionnistes. En face, proposé-je, personne de ceux qui s'estiment aptes à gouverner le pays, à gauche ou à droite, n'apparaît capable, au-delà des propos technocratiques convenus qui attisent la sécession, de penser, *a fortiori* de présenter et de bâtir un avenir plausible et mobilisateur en lequel ces gens puissent croire et en faveur duquel ils puissent désirer s'engager. J'annonce aussi que, de ce fait, la sécession est appelée à gagner de larges pans de la société française. En ce 26 mai, lendemain d'un scrutin qui a vu le Front national réunir près de deux fois plus de suffrages que le parti du président de la République et du gouvernement et devancer de six points le score du principal parti de la droite, on y est, je n'ai pas une virgule à ajouter ou à gommer à ces analyses et à ces textes.

Quoique le vote Front national y ait progressé comme ailleurs, la Bretagne que je viens de quitter résiste une fois encore mieux à la poussée de l'extrême droite que les autres régions. Il convient d'en analyser les raisons. L'une d'entre elles va de soi, elle est liée, malgré la crise, au dynamisme économique du territoire, à un taux de chômage qui demeure inférieur à la moyenne nationale, *a fortiori* à celui des régions les plus sinistrées telles la Champagne-Ardenne, le Nord-Pas-de-Calais, la Picardie, la Lorraine, PACA, etc. Cela ne suffit cependant pas car j'ai noté et expliqué en 2013 et dans mon livre que des cités fort prospères faisaient sécession elles aussi, montrant la même appétence pour le « bleu marine » de Mme Le Pen que les villes les plus éprouvées par la crise. Peut-on trouver dans les traditions politiques ou religieuses des ressorts à une moindre disponibilité aux idées du Front national ? Cela n'apparaît pas évident. L'exemple du Nord-Pas-de-Calais ou de la Provence témoigne de ce que les terres jadis acquises à la gauche communiste et socialiste ne sont guère immunisées contre l'attrait de l'extrême droite nationaliste. La Creuse et les Hautes-Alpes qui semblaient il y a peu encore promises aux socialistes ont elles aussi donné la victoire au Front national. Il en va de même des très catholiques terres rurales de la Vendée militaire et on connaît les accointances des courants chrétiens les plus intégristes avec les mouvements d'extrême droite. En revanche, il se pourrait que l'importance des références au catholicisme social qui fut si actif en Bretagne, leur rôle dans l'éducation des enfants, les valeurs de solidarité d'une région de marins, l'évidence pour eux de l'étrange et de l'étranger eussent créé un socle de valeurs aptes à offrir une certaine inappétence à l'idéologie xénophobe de rejet de l'autre et de stigmatisation de certaines populations véhiculée par le Front national. De ce point de vue, un journal démocrate-chrétien et de centre droit tel que *Ouest-France* est assez emblématique en ce qu'il assume son parti pris d'hostilité envers le parti des Le Pen au nom de valeurs qu'il assure être pour lui fondatrices. La sorte d'évidence banale constituée par les couples mixtes en Bretagne, l'élection « ordinaire » de Kofi Yamgnane, Français d'origine togolaise, à plusieurs mandats dans le Finistère (maire, conseiller général et régional, député) militent en faveur d'une disponibilité persistante aux autres, fussent-ils différents. Une telle influence de l'intériorisation de valeurs humanistes sur les comportements citoyens serait, si mon hypothèse est juste, un argument de poids en faveur de l'importance de l'instruction civique et morale à l'école. Cela constituerait alors un appui majeur pour tous ceux qui militent pour sa réintroduction interactive et raisonnée dans un contexte de perte des références religieuses et souvent de désarroi social des familles.

Vendée militaire et dynamisme des Mauges

La nuit à Ancenis a été courte, occupée à prendre connaissance des résultats des élections partout en Europe et d'en faire une première analyse. Le lundi matin, j'entame ma dix-huitième étape au soleil levant par la traversée de la Loire sur l'unique pont. Depuis la rive gauche, je salue le grand fleuve que je ne retrouverai qu'en Haute-Loire, puis à sa source en Ardèche. Il a de l'allure dans les brumes légères de l'aube, d'un bleu délavé faiblement laiteux sous l'effet d'une lumière atténuée et rasante. Quelques barques plates sont amarrées à la rive, le cours de l'eau est entravé par de petits îlots où pousse une herbe haute, parfois quelques arbustes, et par de larges bancs de sable. Je prends congé et je m'enfonce dans les Mauges, le sud du Maine-et-Loire, vers Gesté puis Cholet, sa capitale.

Je suis accueilli dans la première bourgade par des lecteurs qui se rappellent l'épisode du couple généreux de Retournac qui, en 2013, m'a remis toute sa cueillette de cerises. Ils tiennent à l'imiter et m'apportent plusieurs kilogrammes de fruits cueillis le matin même. Le maire fraîchement élu et ses adjoints se sont invités à dîner dans la somptueuse maison d'hôtes qui me reçoit. Nous évoquons bien entendu le séisme politique de la veille mais surtout la sorte de prodige que constitue pour l'observateur abordant pour la première fois ce territoire son incroyable dynamisme économique. Le chemineau qui passe d'un bourg à l'autre est frappé par les indices d'une population manifestement laborieuse et industrieuse. Le modèle agricole des Mauges ressemble à celui de la Bretagne, avec une large place faite aux élevages hors-sol. La population bovine est abondante et mixte, vaches holsteins pour le lait et croisement de charolaises et de limousines pour la viande. Sinon, c'est une polyculture vivrière et fourragère qui domine dans un pays de bocage remembré, légèrement vallonné.

Le plus frappant ici, dans les Mauges, est la présence d'usines dans presque le moindre village. Je ne me rappelle pas avoir jamais observé l'équivalent ailleurs en France. Cette organisation vient sans doute de la tradition bien plus ancienne partout à la campagne du filage du lin à domicile, remplacé ensuite par d'autres fibres. Lorsque les manufactures utilisant des métiers mécaniques ont signé la fin du tissage manuel, elles se sont implantées là où était la main-d'œuvre disponible. Puis, lorsque l'industrie textile a décliné, celle de la

chaussure lui a succédé. Certes, ces deux activités tradi-
tionnelles ont aujourd'hui presque totalement disparu
mais les entrepreneurs et leurs employés témoignent
d'un incontestable ressort et les villages continuent de
posséder pour beaucoup des entreprises dans des secteurs diversifiés. Le taux de chômage dans le Choletais
a certes augmenté ces dernières années mais reste inférieur à huit pour cent de la population en âge de travailler, il était il y a peu encore inférieur à six pour
cent. On trouve un phénomène de même ordre dans le
Grand Ouest, les Deux-Sèvres, la Vendée, la Mayenne
et, nous l'avons vu, la Bretagne. Une telle performance
n'allait pourtant pas de soi dans les Mauges car le plein-
emploi était jadis tel que les jeunes étaient embauchés
dès la sortie de l'école à treize, quatorze ans, sans formation particulière. Après avoir passé des décennies
dans la même entreprise, leur aptitude à une reconver-
sion devrait de ce fait plutôt laisser à désirer. Cependant, les travailleurs ont ici la réputation d'être durs à
la tâche et… dociles envers la hiérarchie si bien que,
un peu comme en Haute-Loire où j'avais déjà signalé
le fait, ils sont prisés par les employeurs. Thales a par
exemple installé depuis la période de la guerre une
unité importante à Cholet, transformant les ouvrières
du textile en câbleuses. Le côté négatif de l'affaire est
que, comme en général en Bretagne, le niveau officiel
des qualifications et celui des salaires sont bas.

J'ai évoqué en rapportant le dynamisme breton ce
qu'il doit à la vigueur de l'attachement des habitants
à leur province, à BZH et à sa riche histoire. Qu'en
est-il pour les Mauges et pour les autres territoires de

la « Vendée militaire » ? On dénomme ainsi les vastes régions de l'Ouest où naquit et se développa à partir de 1793 la principale insurrection contre-révolutionnaire qui donna du fil à retordre à la République et provoqua une répression d'une exceptionnelle brutalité dans laquelle périrent sans doute quelque deux cent mille habitants de la région. La première guerre de Vendée débute au printemps 1793 à Saint-Florent-le-Vieil, bourgade des Mauges qui domine la rive gauche de la Loire. Elle est provoquée par la conjonction de plusieurs éléments : la constitution civile du clergé de 1791, comme dans le cas de la chouannerie bretonne, l'exécution du roi et, ultime facteur déclenchant, la conscription après que la patrie a été déclarée en danger. Le rappel trop schématique des guerres de Vendée pourrait laisser croire à qui ne serait pas versé dans cette douloureuse histoire qu'une région jouissant auparavant d'une profonde unité soudée par la foi catholique et le royalisme s'est tout naturellement, dès 1789, opposée aux révolutionnaires. Il n'en est rien. Les cahiers de doléances remplis en Anjou, Vendée, Deux-Sèvres et pays de Retz à l'occasion de la préparation des états généraux montrent que les paysans avaient de réelles attentes. Ils s'étaient souvent opposés à leurs nobles, des jacqueries avaient eu lieu et rien ne témoigne de leur part, au début de la Révolution, d'un sentiment royaliste particulièrement fort. En revanche, leur foi catholique, essentiellement propitiatoire (on prie pour la fécondité des récoltes et des femmes, l'arrêt de la sécheresse ou de la pluie, etc.), avait en effet, comme dans tout l'Ouest, été renforcée par les prédications des frères montfortains. Ces derniers ont prolongé l'action au début du siècle du fondateur de leur ordre, Louis-Marie Grignion de Montfort. Si les paysans « vendéens » ont au départ plutôt de la sympathie pour la Révolution, ils sont rapidement déçus car leurs situations individuelles ne s'améliorent pas, voire s'aggravent. Dans le même temps, les bourgeois des villes apparaissent comme les seuls bénéficiaires de la Révolution, il y a là les ingrédients d'une opposition de classe. La confiscation des biens du clergé et leur mise en vente sous forme de biens nationaux frustre elle aussi les paysans. Les lots proposés sont trop importants pour qu'ils puissent les acquérir et la bourgeoisie citadine en accapare la plus grande partie. En définitive, la conscription de 1793 apparaît comme la goutte d'eau qui fait déborder le vase pour une population exaspérée qui y répond par des jacqueries assez classiques, d'abord en pays de Retz puis dans les Mauges. Ce sont les paysans révoltés qui sollicitent au départ des chefs choisis dans la petite noblesse locale, tels Cathelineau et Bonchamps, tous deux originaires des Mauges. Le premier est gravement blessé à la bataille de Nantes, le second à celle de Cholet, ils trépassent tous deux en l'abbatiale de Saint-Florent-le-Viel. Ensuite, bien entendu, l'aristocratie verra le parti qu'elle peut tirer de la révolte paysanne et jouera le rôle déterminant dans l'organisation de la « grande armée catholique et royale ».

Alors que les chouans bretons menèrent, surtout à partir de 1791, de meurtriers combats de guérilla sans se rendre maîtres de grandes villes, les Vendéens, bientôt organisés en une armée constituée, défont les troupes de la République jusqu'à la fin de l'été 1793. Ils conquièrent pour un temps des villes comme Angers, Cholet, Saumur, Thouars, Bressuire, Loudun, Parthenay et Fontenay, La Roche-sur-Yon et Machecoul. Ils échouent de justesse devant Nantes. Fuyant les bleus, ils atteignent même Granville, en Normandie, où ils espèrent des renforts des Anglais : c'est la « virée de Galerne ». Alors que, dès la fin de l'année 1793, la défaite des insurgés est consommée, la répression s'abat. Elle est terrible, à la hauteur de leurs premiers succès et de la frayeur qu'ils ont inspirée à la toute jeune République. La Convention recommande d'exterminer tous les combattants mais de préserver les autres, ainsi que les femmes et les enfants. En décembre 1793, le général Turreau, proche des hébertistes, déploie vingt colonnes militaires dans l'Ouest, les « colonnes infernales » ; ses instructions sont claires : passer au fil de la baïonnette tous les rebelles « trouvés les armes à la main, ou convaincus de les avoir prises », ainsi que « les filles, femmes et enfants qui seront dans ce cas ». Il ajoute que « les personnes seulement suspectes ne seront pas plus épargnées. En revanche les hommes, femmes et enfants dont le patriotisme ne fait pas de doute devront être respectés et évacués sur les derrières de l'armée ». Il semble que cette clémence toute relative envers les « innocents » n'ait pas toujours été respectée. En témoigne en particulier la proclamation de Francastel affichée à Angers en décembre 1793 : « La Vendée sera dépeuplée, mais la République sera vengée et tranquille... Mes frères, que la Terreur ne cesse d'être à l'ordre du jour et tout ira bien. Salut et fraternité. » De même, une lettre de Carrier, celui des noyades de Nantes, adressée environ à la même date au général Haxo qui lui a demandé des vivres pour la Vendée républicaine, déclare : « Il est bien étonnant que la Vendée ose réclamer des subsides, après avoir déchiré la patrie par la guerre la plus sanglante et la plus cruelle. Il entre dans mes projets, et ce sont *les ordres de la Convention nationale* [souligné par Carrier] d'enlever tous les subsistances, les denrées, les fourrages, tout, en un mot, dans ce maudit pays, de livrer aux flammes tous les bâtiments, d'en exterminer tous les habitants... Oppose-toi de toutes tes forces à ce que la Vendée prenne ou garde un seul grain... En un mot, ne laisse rien à ce pays de proscription. »

L'irrédentisme « vendéen » fut tel que, malgré cette sanglante répression de la première guerre de Vendée en 1794, il y eut encore quatre autres soulèvements, le dernier en 1830-1832 contre les troupes de Louis-Philippe. Ces rappels historiques ont pour but d'établir la filiation directe entre les révoltes vendéennes et la terrible répression qu'elles suscitent d'une part, le fort sentiment identitaire d'autre part. Dans les villages des Mauges que j'ai traversés, il y a peu de maisons très anciennes, pratiquement pas d'églises antérieures au XIXe siècle, presque tout a été détruit et brûlé pendant les combats et, surtout, au cours des brutales représailles de 1794. Les mémoriaux d'exactions et massacres sont nombreux. Les vitraux de l'abbatiale de Saint-Florent-le-Vieil et plusieurs monuments célèbrent ces événements et commémorent la visite historique de la fille aînée de Louis XVI en ces lieux, traversant la Loire comme le firent les insurgés en retraite, en hommage à la fidélité des Mauges à la famille royale durant la Révolution. Beaupréau, Le Pin-en-Mauge et bien d'autres petites villes de ce territoire de l'Anjou conservent maints témoignages de ces événements d'une terrible brutalité. Indépendamment du sentiment de chacun sur les guerres de Vendée, il y a là de quoi forger l'identité d'une population et il ne fait aucun doute que ces événements contribuèrent à souder une identité régionale dont l'une des manifestations est un incontestable dynamisme économique. D'ailleurs, ce dernier serait bien difficile à expliquer sans faire appel au paramètre de l'élan donné par le sentiment identitaire. Les Mauges comme les autres régions de l'Ouest sont en effet dépourvues de ressources naturelles autres qu'humaines, elles n'ont pas été épargnées par les crises et les effondrements successifs de secteurs d'activité dans lesquels elles s'étaient investies. De plus, l'opprobre de la Vendée militaire aux yeux des républicains explique qu'elle n'ait bénéficié, à l'exception de la période de la Restauration, d'aucune mansuétude de l'État dans ses politiques d'aménagement du territoire, les populations n'ont dû compter que sur elles-mêmes, ce qui se révéla en définitive sans doute un atout. L'exemple « vendéen » témoigne en définitive combien il est nécessaire pour appréhender la réalité d'une région, sur les plans écologique, économique, psychologique et politique, de rechercher aussi au fil des rencontres tous leurs ressorts géographiques et historiques.

En souvenir de la Mzzelle et du Roy, le bocage

Une fois traversée vers l'est la vaste zone industrielle de Cholet la laborieuse, l'atmosphère change rapidement. Après avoir longé quelques bourgades résidentielles et contourné l'étang des Noues, immobile et étincelant en ce matin lumineux, je m'enfonce avec Princesse mascotte dans la belle forêt de Nuaillé aux sous-bois couverts de fougères dans lesquelles ma petite amie demande à se ressourcer, tout émue encore par l'évocation des sanglantes guerres de Vendée. Nous ne nous hâtons par conséquent pas, profitant au maximum des allées forestières qui longent plusieurs étangs aux teintes variant du vert foncé au gris clair et au bleu pâle selon leur fond, leur environnement et leur couverture végétale. Nous débouchons en quittant la forêt sur un paysage agricole vallonné où les entreprises du type de celles disséminées dans les Mauges ont presque totalement disparu. Le souci d'éviter les routes importantes m'amène à faire d'incroyables détours avant de parvenir au hameau de Beffoux où je fais étape entre Coron et Saint-Paul-du-Bois, à la lisière entre le Maine-et-Loire et les Deux-Sèvres. La maison d'hôtes que j'ai choisie est isolée sur une proéminence des contreforts orientaux du Massif armoricain, elle domine la plaine de Coron au nord. Je m'installe à l'extérieur sur une belle pelouse donnant sur la vallée tandis que ma gamine de petite princesse, assise sur une balançoire suspendue à un grand arbre et mollement agitée par le vent, me fait face. Je rédige pour ma part l'un de ces billets par lesquels je fais part de mes émotions et réflexions à ceux qui me suivent sur mon blog. Levant la tête parfois pour trouver de l'inspiration, mon regard porte alternativement sur le paysage paisible en contrebas et sur ma pouliche en peluche qui paraît consciente de ce je l'ai peu à peu investie d'une partie de moi-même et des femmes que j'ai aimées, qu'elle est devenue en quelque sorte l'image de ce « je » qui « est un autre », dont parlait Arthur Rimbaud, rencontré l'an dernier à mon départ des Ardennes. Cette année, ce je a pris forme et nous nous sommes réparti les tâches. À lui, c'est-à-dire à elle, ma féminité et ma sensibilité, l'essentiel de ma poésie et de mon insouciance ; je garde pour moi mes inquiétudes et ma détermination rationnelle à agir et comprendre, j'endure seul les souffrances du corps. Nous sommes bien, ensemble.

Une longue étape m'attend une fois de plus le lendemain ; elle débute, dès la limite départementale avec les Deux-Sèvres franchie, par mes retrouvailles avec Saint-Maurice-la-Fougereuse que je n'aurais manqué pour rien au monde. J'ai passé des vacances dans ce village lorsque j'avais sept ans, en compagnie de mes deux frères aînés Olivier et Jean-François, et de Jean-Marie, un ami. Nous étions sous la garde de Mlle Bésineau, une femme de la bourgeoisie bordelaise qui, peut-être après une déception sentimentale ou de première intention par piété fraternelle et chrétienne, avait sacrifié sa vie personnelle à son frère prêtre auquel elle servait de gouvernante. Du vivant de l'abbé Bésineau, elle l'aidait aussi à s'occuper d'une sorte de colonie de vacances à Saint-Maurice. L'épisode que je relate ici suit d'un an la mort du frère prêtre. Ensuite, elle continuera à nous accueillir, Olivier et moi, durant les périodes de vacances et jusqu'à ce que j'aie quatorze ans, mais dans le petit village de Saint-Yzans-de-Médoc, au sein de ses terres ancestrales du Bordelais où elle s'était repliée et où elle vécut jusqu'à sa mort. Nous avions avec mon frère une immense affection pour cette femme généreuse et pieuse qui allait à la messe tous les matins et, par fidélité envers l'abbé, continua après sa mort à lire chaque jour son bréviaire comme il était tenu lui-même de le faire de son vivant. Pour nous, c'était la « Mzzelle ». Nous continuâmes de la voir régulièrement jusqu'à sa disparition alors que nous étions nous-mêmes déjà mariés et pères de famille.

Parmi les legs de la Mzzelle, j'en retiendrai deux qui ont marqué ma vie : le goût de cuisiner comme je le faisais si souvent à ses côtés pendant les trois mois que duraient alors les vacances d'été. Son frère l'abbé était fort gourmand, il se peut qu'il en soit mort affecté d'un solide embonpoint : sa sœur était un fin cordon-bleu. Toujours lié aux penchants de l'abbé, c'est elle qui a commencé aussi à développer mes connaissances œnologiques. La cave de l'abbé Bésineau était remarquable, il avait été curé à Saint-Julien-Beychevelle et, dit-on, ne refusait pas que le denier du culte fût remplacé par des bouteilles « de derrière les fagots ». Dès que j'eus dix ans, la Mzzelle commença à me servir comme à Olivier, au terme de chaque repas, un fond de verre du précieux nectar en ajoutant chaque fois : « Mes enfants, ce que le bon Dieu fait de meilleur ne saurait vous faire de mal. »

Revenons cependant aux premières vacances en sa compagnie à Saint-Maurice-la-Fougereuse dont je garde quelques souvenirs assez précis. J'étais un peu isolé, encore petit garçon avec Olivier, un « grand », et deux pré-adolescents ; j'étais de ce fait, sans cruauté cependant, leur souffre-douleur. Ces chenapans avaient un soir écrit partout dans la commune, sur les murs et les panneaux, « Axel est un œuf ». Je découvre l'affront le lendemain matin en allant acheter un sucre d'orge à la petite épicerie près de l'église. Mon premier sentiment est la surprise et la perplexité. Qu'a-t-on voulu signifier par là ? Qui veut me gober ? Suis-je si fragile que le premier choc pourrait me briser ? Cela, je ne le croyais pas : bagarreur et casse-cou, je savais qu'il n'en était rien. Il n'empêche, je sens bien que l'on se moque, les enfants n'apprécient guère. Je reviens éperdu et en larmes dans les jupes de la Mzzelle. Compatissante, elle me prépare du pain perdu au caramel ce qui assèche mes larmes, puis met entre les mains des coupables un seau et une éponge en leur intimant l'ordre de tout effacer sous peine d'être privés de dessert jusqu'à ce qu'elle ait vérifié elle-même que toute trace du forfait a disparu. Compte tenu des dons culinaires de la Mzzelle, la menace est redoutable, on s'exécute. De retour à Saint-Maurice, soixante-trois ans après cette cabale des grands, je ne retrouve aucune trace de cet infamant libelle.

Une autre fois, les affreux parviennent à me convaincre d'aller demander à l'épicière déjà âgée de me vendre un bavoir japonais du modèle que l'on trouve un peu partout de nos jours tant ils sont prisés. La bonne dame me répond que, bien sûr, elle fait cet article dont elle s'est hélas laissé démunir. Elle ne tarderait pas à se réapprovisionner. Il faut là encore une intervention de la Mzzelle pour apaiser la commerçante sens dessus dessous qui remue ciel et terre pour se procurer ce bavoir fameux qu'elle se sent indigne et humiliée de ne pas avoir en magasin. L'épicerie est maintenant devenue aussi un bar, dépôt de pain et snack mais elle est toujours là, près de l'église. J'hésite à entrer pour demander si les bavoirs japonais sont enfin arrivés. La Mzzelle nous emmenait nous baigner dans des sortes de piscines rocheuses naturelles alimentées par une petite rivière qui serpente non loin du village. Je crois me rappeler que l'on appelait l'une « la raquette » et l'autre « le crocodile ». Au cours d'une de ces parties, alors que les grands jouent entre eux, je me glisse dans une eau sombre et disparaît aussitôt. Les deux mètres de fond du lieu auraient bien suffi à noyer un bout de chou comme moi. La Mzzelle, déesse protectrice, est assise sur une pierre à surveiller son monde. Quant à moi, je me rappelle avoir peu réagi à ce qui m'arrive, il fait noir et j'imagine que c'est pour toujours, que je suis sans doute en train de me noyer. Je ne sais comment un grand s'y prend ce jour-là pour me récupérer par les cheveux car je suis alors coiffé en brosse. Il le fait pourtant, répondant à l'injonction de Mzzelle Athéna : « Jean-François, va récupérer ton frère ! »

En ce temps-là, à Saint-Maurice, il n'y avait nulle festivité pour le 14 Juillet, du crêpe était même disposé en signe de deuil à certaines fenêtres. Les marques de deuil ne sont sans doute plus de mise dans les villages de cette région de l'est des Mauges et du nord-ouest des Deux-Sèvres mais un certain nombre d'entre eux ne tirent toujours pas de feu d'artifice ce jour, le faisant plutôt le 25 août, jour de la Saint-Louis. La puissance et la persistance du sentiment royaliste sont parfois associées dans cette partie septentrionale et occidentale des Deux-Sèvres à la survie groupusculaire de ce qui fut la « Petite Église ». Rappelons qu'il s'agit d'une dissidence de l'Église catholique provoquée par le refus de certains prêtres et de prélats réfractaires de signer en 1801 le concordat destiné à réconcilier la République française (ce sera bientôt l'Empire) avec Rome. Cette Petite Église réunira au XIXᵉ siècle quelques dizaines de milliers de fidèles, surtout dans le bocage, de Cerizay à Bressuire et Argenton-les-Vallées. De nos jours la dissidence ne réunit plus qu'un à deux milliers de personnes dans des communes du bocage bressuirais. La pratique religieuse est calquée sur celle de l'Ancien Régime dont toutes les fêtes traditionnelles restent en vigueur. La disparition en 1830 du dernier prêtre de la dissidence a abouti à la prise en main des rites et offices, fort longs, par des laïcs, hommes ou femmes, issus pour la plupart de la famille du dernier curé réfractaire de cette Petite Église. L'opposition à l'Église catholique officielle est telle que les enfants étaient (et sont encore de nos jours) envoyés aux rares écoles publiques de ces territoires (elles restent aujourd'hui absentes de certaines communes et comptent de toute façon beaucoup moins d'élèves que les établissements confessionnels) où ils ne risquaient pas d'être soumis au prosélytisme de reconquête de l'Église de Rome. C'est cette même animosité qui pousse la majorité des membres de la communauté à voter depuis la Troisième République plutôt à gauche alors que la droite recueille ici les suffrages de la plupart des catholiques orthodoxes.

On le voit, mon étape de Beffoux à Massais est propice aux souvenirs émus et aux réflexions sur les singuliers cadre humain et destin historique du bocage des Deux-Sèvres, région presque exclusivement agricole où, jusqu'à la dernière guerre, le système du métayage régnait encore en maître. Le bocage fragmente les espaces et sépare les habitations, le regard ne porte pas en ces paysages au-delà de la haie, du chemin creux, on est dans le « petit pays » qui favorise tous les particularismes, individualismes ou communautarismes. Le bocage limite certes les mouvements du vent et de l'eau, il tend à protéger des inondations ; il ralentit aussi le mouvement des idées et constitue sans doute un cadre favorable au conservatisme religieux et social. Le pays est traversé par quelques routes importantes, plus ou moins rectilignes et à la circulation automobile soutenue. Pour les éviter, le marcheur s'engage entre les haies dans des chemins ruraux plus ou moins creux qui se croisent à angles droits si bien que jamais le regard ne peut s'évader et que, même si l'appareil GPS limite les erreurs d'itinéraire, le trajet à parcourir est allongé d'un bon tiers comparé aux voies directes. Un épisode cocasse me suggère que les animaux terrestres, eux-mêmes habitués à cet espace limité, sont décontenancés par les perspectives plus étendues. Débouchant sur une allée plus large aux horizons un peu dégagés, je surprends un lièvre qui s'enfuit d'abord sur cette sorte de piste. Au bout d'une cinquantaine de mètres, comme surpris de ne pas avoir encore trouvé le couvert végétal auquel il est habitué, il s'arrête aussi brutalement qu'un cheval d'équitation western dans une épreuve de reining, fait demi-tour et, revenant sur ses pas, donne l'impression de me charger pour ne se raviser qu'*in extremis* à un mètre de moi et s'éloigner à angle droit dans les taillis. Lorsque je parviens à m'extraire de ce labyrinthe végétal pour arriver à la jolie cité historique d'Argenton-les-Vallées (jadis, Argenton-Château et deux autres communes réunies depuis 2006), je m'imagine pouvoir terminer agréablement mon étape du jour en rejoignant Massais, à neuf kilomètres de là, par les gorges de la rivière Argenton et en évitant la route à grande circulation. En effet, les ruines du château de Sanzay du XIIIe siècle où vécut et mourut Philippe de Commynes, un petit lac de retenue et la confluence de l'Argenton avec deux de ses affluents en font une cité touristique attrayante alors que les gorges sont enserrées entre de belles falaises, si bien que l'existence d'un sentier touristique m'apparaît aller de soi. Il n'en est rien car les agriculteurs propriétaires des terrains sur lesquels il aurait dû être tracé s'y sont toujours opposés. On est dans le bocage ! Je renoue par conséquent avec l'entrelacs de chemins creux, de sorte qu'à l'arrivée à

Massais, j'aurai à nouveau dépassé la quarantaine de kilomètres parcourus dans la journée.

La civilisation du tuffeau

Après Massais, je remonte franchement vers le nord-est et le département de la Vienne dans la direction de l'Argenton, puis du Thouet dans lequel il se jette. Je chemine d'abord comme depuis Argenton-les-Vallées dans « les marches communes de l'Anjou et du Poitou », territoire témoin d'une bizarrerie de l'histoire dont on trouve quelques autres exemples en France. Peut-être afin d'éviter tout différend pendant que les princes des deux provinces guerroyaient aux croisades, ces marches appliquèrent depuis le XIIIe siècle et jusqu'à la chute de l'Ancien Régime les législations de l'une ou de l'autre des juridictions provinciales, la plus favorable aux justiciables. Aucun fief angevin ou poitevin ne pouvait s'établir dans les marches, si bien que l'aristocratie y était beaucoup moins représentée qu'ailleurs, ce qui eut plutôt tendance à aviver la forte opposition entre la bourgeoisie citadine et la paysannerie déjà relevée comme l'un des ressorts de l'insurrection vendéenne. Je franchis l'Argenton sur le beau pont médiéval du Preuil et me mets en quête d'un passage pour franchir le Thouet, une rivière au débit important accru encore par les orages de la veille. Mes cartes et mon appareil GPS semblent me signaler un itinéraire du type de ceux que je privilégie : des routes secondaires non revêtues et des chemins mènent à une structure sur la rivière que les symboles carto-graphiques ne me permettent pas d'identifier. Je suis pourtant confiant : puisqu'une voie y accède et qu'une autre la prolonge de l'autre côté du Thouet, je dois passer, moi aussi. Tel n'est hélas pas le cas. Je parviens à un déversoir dont la retenue alimente le bief d'un moulin et par-dessus lequel cascade bruyamment une eau vive. Que faire ? Princesse mascotte est terrorisée et je crois comprendre qu'elle cherche à me dissua-der d'y aller, ou alors sans elle. J'hésite mais ne peux me résoudre à rebrousser chemin. Je me déchausse et dispose mes chaussures liées par leurs lacets autour de mon cou, réajuste mon sac et m'engage prudem-ment pieds nus sur l'étroite bande de béton. La pierre couverte d'algues glisse comme de la glace, il n'existe nulle main courante à laquelle me tenir. L'eau m'ar-rive bientôt au-dessus des genoux, le courant est fort. Au bout d'une quinzaine de mètres, je me convaincs que je ne sortirai pas indemne de l'aventure et que ma princesse avait raison. Avec une précaution infinie et à tout petits pas, je regagne la berge que j'atteins avec soulagement. Il ne me reste plus qu'à remettre mes souliers et à aller chercher un vrai pont. Une dizaine de kilomètres plus loin ! Cet épisode confirme ce que je pressentais, la randonnée hors des routes et des iti-néraires balisés est une authentique aventure, cela n'en est que le début.

Je retrouve bientôt en m'approchant de la Vienne la dominance absolue du tuffeau, une craie sablonnée, comme matériau de construction des habitations tradi-tionnelles et anciennes. C'est là une signature commune forte de l'Anjou, du Poitou et de la Touraine, elle donne sa blancheur aux demeures villageoises aussi bien qu'aux châteaux, pigeonniers, édifices religieux et publics divers. Son extraction des coteaux de bord de Loire a creusé les incroyables galeries du Saumurois, utilisées jadis comme champignonnières et devenues surtout, de nos jours, caves à vin des plus grands producteurs de la région. Ailleurs, les collines et plateaux calcaires sont creusés d'une grande diversité d'habitations ou d'installations troglodytes que l'on trouve depuis le Blésois jusqu'à la Touraine du sud, depuis le Cher jusqu'à l'axe Angers-Poitiers. Quittant les granits et les schistes de Bretagne, j'avais abordé les pays du tuffeau dès la Loire-Atlantique avant Ancenis, puis les avais délaissés pendant quelques jours en faisant un crochet par l'extrémité orientale du Massif armoricain à l'est des Mauges et dans les Deux-Sèvres. Je les retrouve maintenant en m'approchant de la Vienne pour ne plus les quitter avant d'aborder la Brenne et ses grés, la Creuse et ses granits. De Berrie vers lequel je me dirige à Loudun, Richelieu, Descartes, Le Grand et Le Petit-Pressigny jusqu'aux limites du département de l'Indre, je serai plongé dans l'atmosphère très spéciale créée par l'utilisation de ce matériau calcaire. Lorsque le soleil est de la partie, le moindre village prend des allures d'île grecque, la réverbération est violente, éblouissante, les bleus sont intenses, les lignes dessinées comme à la pointe affûtée d'un crayon. Par mauvais temps, la pierre compense en une certaine mesure la luminosité en berne, sa blancheur diffuse une clarté tout en intériorité rassurante, elle apaise la langueur des gens en leur faisant connaître combien leur maison est, elle, toujours prête à les accueillir dans son halo protecteur. Lorsque la grisaille estompe les teintes, on s'aperçoit alors combien le tuffeau résiste seul à apporter quelque clarté, engendrant des paysages bicolores, noirs et blancs d'une surprenante beauté. Les murs des maisons protègent ici non seulement du vent, de la pluie, des brigands et des ennemis mais aussi de l'invasion du gris.

Et puis, bien entendu, la pierre a puissamment contribué à la civilisation du Val de Loire, au rayonnement de ses abbayes telle Fontevraud, à l'épanouissement de la Renaissance et de ses très nombreux châteaux du XVᵉ et du XVIᵉ siècle, aux très purs édifices classiques du XVIIᵉ dont la ville de Richelieu porte un témoignage superbe et éloquent, aux majestueuses et parfois sévères façades du « Grand Siècle » dont celle du château des Ormes dans la Vienne où je serai dans quelques jours. J'ai déjà, en arrivant dans le petit village de Berrie, perché sur un coteau au milieu de vignes, un superbe témoignage de cette « civilisation » du tuffeau. Le maître de « la seigneurie de Berrie » où se termine mon étape du 30 mai est un passionné d'architecture. Il m'attend et, dès mon arrivée à la maison d'hôtes, me fait visiter son domaine au pied du château dont les parties les plus anciennes datent du XIIIᵉ siècle. La tour-pigeonnier du XVIᵉ siècle, en partie enterrée, contient sept cent soixante boulins, les alvéoles creusées dans la muraille intérieure où les colombes établissaient leurs nids. Le fief du propriétaire noble des lieux devait par conséquent mesurer sept cent soixante acres, soit trois cent quatre-vingts hectares sur lesquels étaient sans doute déjà plantées des vignes comme celles qui donnent de nos jours du vin de l'appellation saumur. Le maître de la maison d'hôtes m'emmène ensuite à Montreuil-Bellay, tout proche et d'une exceptionnelle richesse architecturale. Outre de belles maisons datant du XV au XVIIIᵉ siècle, la cité s'enorgueillit d'un imposant château presque intact qui mire sa façade Renaissance dans le Thouet alors que sa partie féodale est tournée vers la ville. Le ciel s'est mis à l'orage, la lumière déclinante d'une fin d'après-midi a pris des teintes orangées et rougeoyantes qui se reflètent dans la rivière et colorent les tours et tourelles du château en leur conférant l'aspect étrange des manoirs hantés des bandes dessinées et des films d'animation. Le marcheur retrouve ce type d'habitat un peu partout, au coin du chemin, dans les longs bâtiments agricoles traditionnels à un seul niveau, dans les fermes anciennes à deux étages dont certaines évoquent des manoirs, dans les manoirs et petits châteaux que nul guide ne recense mais que le promeneur découvre d'un seul coup lorsqu'il débouche d'un petit bois ou d'un chemin creux. Rien que dans les environs immédiats du Petit-Pressigny, mon village natal qui ne compte guère plus que trois cent cinquante âmes, on en dénombre au moins quatre.

Les régions au sol calcaire où se trouvent les formations crétacées dont on extrait le tuffeau vont de pair, pour certaines d'entre elles, avec la culture de la vigne et, en principe partout, avec l'élevage de la chèvre et la confection de fromages célèbres, du sainte-maure-de-touraine au valençay et au selle-sur-cher en passant par le cabécou du Poitou, le crottin de Chavignol et des dizaines d'autres. En principe, je devrais par conséquent cheminer dans des régions à l'habitat immaculé, aux beaux coteaux plantés de vignes produisant des vins de Loire et aux prés dans lesquels paissent de charmantes biquettes. Or ces animaux se révéleront aussi rares que les bergères tout au long de ma diagonale en 2013. Pourtant, je le confirme, on mange toujours du fromage de chèvre du Poitou à la Touraine et au Berry, et il est fort bon. Cependant, les producteurs ont ici comme ailleurs suivi la pente d'une optimisation de la productivité. Ils ont pour la plupart reconstitué leur cheptel avec des races meilleures laitières que les animaux traditionnels, plus fragiles, aussi. Surtout, ils ont cherché à contrôler la mise bas des chevreaux, et par suite la lactation des mères toute l'année afin de produire du fromage de chèvre à partir de lait frais et non congelé à Noël aussi bien qu'au printemps et en été. Les bêtes, comme les bergères, sont par conséquent bien là, mais à l'intérieur, en stabulation hors-sol. Pourtant, j'aurai une fois la chance inouïe de faire risette, dans une belle prairie fleurie des pays de Loire, à un troupeau de primesautières et bondissantes chevrettes, un peu craintives mais curieuses à la fois. Je m'en sentirai tout ragaillardi !

De Loudun à Richelieu,
l'abbé libertin et le cardinal

Loudun n'est qu'à moins de vingt kilomètres de Berrie, distance qu'il m'est facile de parcourir sans me presser pour arriver bien avant midi à ma destination qui mérite assurément qu'on lui consacre un temps suffisant. En chemin, le château Renaissance de Ternay (remanié par la suite jusqu'au XIXe) s'offre en majesté à mon regard conquis. Léchées par la lumière rasante d'un soleil juste levé qui peu à peu chasse les ombres de l'aube, ses façades en tuffeau s'illuminent d'un jaune paille tandis que les couvertures d'ardoise miroitent sous un ciel presque incolore dont le bleuté subtil se devine plus qu'il ne se voit. Cet émerveillement matinal me met dans un état d'esprit propice à la découverte de ce que les destructions ordonnées par le roi Louis XIII et le cardinal de Richelieu ont épargné de Loudun et qui demeure riche et beau. J'entre en ville par la porte du Martray sous un soleil maintenant éclatant qui en souligne la blancheur, longe l'église éponyme ornée d'une délicate dentelle gothique et monte vers la tour rescapée du château par des rues bordées de nobles demeures patriciennes caractéristiques de l'habitat loudunais. Au centre de la cité, la collégiale Sainte-Croix possède un impressionnant chœur roman dont la voûte est ornée de fresques récemment restaurées, en particulier une superbe crucifixion. L'ensemble, témoin d'horreurs dont je reparlerai, est somptueux. Dans l'après-midi, je mène une véritable enquête auprès d'érudits locaux pour compléter mes connaissances de l'affaire des possédées de Loudun et des ressorts du différend avec le cardinal, je reçois un groupe de lectrices qui me pistaient déjà depuis quelques jours, j'admire les changements de la ville sous différents éclairages alors que le soir tombe, j'échange mes impressions avec Princesse mascotte qui me laisse parler, peut-être impressionnée. J'aimerais retenir le temps.

La proximité de Loudun et Richelieu, distantes d'un peu plus de vingt kilomètres par la petite route empruntée, est un paramètre essentiel des malheurs de la fière cité de la Vienne. Il me faut allonger le pas pour disposer une fois encore d'un plein après-midi afin de visiter l'étonnante bourgade, unique en France par son homogénéité, construite *ex nihilo* en quelques années (de 1632 à 1642) comme une « cité idéale » par la volonté du cardinal. Je ne peux éviter de fouler le macadam, j'étire autant qu'il est possible toutes les articulations de mes membres inférieurs afin de parvenir à temps dans la bourgade où m'attend l'équipe municipale, la douleur du genou gauche devient vive et ne se calmera pas lorsque, après l'un des plus mauvais déjeuners que je me rappelle avoir jamais fait dans le pourtant bel hôtel où je loge, j'entreprends de visiter la ville de Richelieu. Enserrée dans ses murailles, percées à l'origine de six portes, et ses douves, presque identique à son aspect du XVIIᵉ siècle, elle est un pur joyau classique. De forme rectangulaire avec des rues tracées au cordeau, elle s'organise autour de deux places symétriques, la place Royale et la place Cardinale, reliées par une majestueuse « Grand-Rue » que bordent les hôtels particuliers des grands du royaume. Cette disposition, fruit de la diarchie à la tête du pays, différencie le plan de Richelieu des autres modèles urbains idéaux de l'Antiquité, de la Renaissance et du XVIIe siècle (Charleville, Henrichemont), établis autour d'une place centrale unique. Toutes les artères sont ici perpendiculaires et desservent les différents quartiers des commerçants et des artisans aux demeures plus modestes mais elles aussi d'une pure et éclatante beauté dans la blancheur de leur tuffeau et l'épure de leurs lignes sobres. La belle halle en châtaignier est restée telle que la pensa le cardinal. L'église Notre-Dame est bâtie sur le modèle de Santa Maria Novella à Florence. Elle est la sœur presque jumelle de la chapelle de la Sorbonne, édifiée comme elle par Jacques Lemercier, l'architecte en charge du château et de la ville. Elle témoigne avec sa large façade plate de la Contre-Réforme par laquelle les nations catholiques – et le duc-cardinal – fêtèrent leur victoire locale sur le protestantisme, l'un des paramètres aussi du drame de Loudun. Cheminer de Loudun à Richelieu, les admirer l'une et l'autre, les resituer dans leur contexte historique et, pour cela, s'informer, y penser longuement en marchant, permet maintenant d'évoquer l'effroyable drame qui s'est joué là en lui donnant un éclairage nouveau dont les deux villes rivales, l'ancienne et celle que le cardinal veut bâtir, sont des protagonistes essentiels.

Il était une fois une grande cité du Poitou, fière de son impressionnant château et de ses robustes murailles élevées par privilège de Philippe Auguste.

Elle jouissait d'avantages importants et était sortie intacte des guerres de religion, abritant de plus une importante communauté protestante bien intégrée aux autres Loudunais.

Il était une fois un cardinal ambitieux et talentueux, fils de la petite noblesse et ancien évêque de Luçon, Jean-Armand du Plessis, cardinal de Richelieu. Catholique intransigeant, opposé aux concessions faites par Henri IV, qu'il avait pourtant servi avec loyauté, aux réformés, il avait témoigné dans la période troublée qui avait suivi l'assassinat du bon roi Henri d'une stupéfiante habileté politique. D'abord partisan actif de la reine-régente Marie de Médicis, poulain de Concini, marquis d'Ancre, il s'était assez vite tiré de la disgrâce qui avait logiquement suivi en 1617 l'assassinat de Concini sur ordre du roi et la mise à l'écart de la reine mère Marie. Le 10 novembre 1630, au terme de la « journée des Dupes », il avait renversé toutes ses alliances et convaincu Louis XIII d'exiler sa mère. Il était depuis le premier des ministres du roi qui lui octroya en 1631 le droit de bâtir *ex nihilo* une ville attenante au somptueux château qu'il faisait transformer à partir de la plus modeste résidence de son père. Cependant, pour mener à bien le chantier pharaonique, il fallait de la pierre, beaucoup de pierre. Le calcaire est ici abondant, en particulier dans la carrière de la Rajace, à Ligré, tout proche. Il faut cependant le temps d'extraire les blocs et de les tailler alors que les besoins sont immenses pour mener rapidement à bien la construction du vaste et somptueux château et de la ville qui, avec le parc, en est le complément à

99

la hauteur des ambitions du cardinal. Or il existe des blocs prêts à l'emploi dans les innombrables constructions des cités avoisinantes, Champigny-sur-Veude et, surtout, Loudun. La politique du roi, appuyée par Richelieu avec d'autant plus d'énergie qu'il en est l'instigateur, consiste à affirmer le pouvoir royal et à démanteler les places fortes où les réformés, comme l'édit de Nantes leur en avait reconnu le droit, étaient susceptibles de se réfugier. Louis XIII décide donc en 1632 que le château et les murailles de Loudun doivent être démantelés. Le cardinal, dont le fief est à une vingtaine de kilomètres seulement de la cité poitevine, y veille avec un zèle exceptionnel. Prenant prétexte du soutien de Gaston d'Orléans au complot fomenté par le duc de Montmorency, décapité en 1632, le cardinal fait aussi raser son château de Champigny. Les pierres de Loudun et de Champigny n'auront pas à accomplir un grand trajet pour être utilisées dans la construction du château et de la ville de Richelieu. Pour faire bonne mesure, quoique sa valeur stratégique (mais pas économique) soit bien entendu nulle, Richelieu fait déplacer dans sa ville le grenier à sel de Loudun.

Il était une fois Urbain Grandier, un jeune prêtre bien de sa personne, porté sur les choses de la chair, un brin libre penseur, qui devient en 1617 curé de la paroisse Saint-Pierre et chanoine de celle de Sainte-Croix de Loudun. Esprit brillant et à la parole libre, il attire les foules par ses sermons. Ses autres atouts attirent la gent féminine. Il met enceinte la fille du procureur du roi, une de ses élèves âgée de quinze ans, et se met en ménage avec une autre jeune femme qu'il était censé préparer à prendre le voile. Cela lui vaut des ennuis dont il se tire plutôt bien. Loudunois d'adoption et de conviction, l'abbé Grandier est aussi un adversaire farouche du démantèlement des fortifications de Loudun et se positionne en tant que protecteur de la communauté protestante de la cité. Il rédige un pamphlet contre le cardinal et, dans ses prêches, l'attaque vivement.

Il était une fois mère Jeanne des Anges, la supérieure du couvent des ursulines de Loudun. Contrefaite, disgracieuse, cette sainte femme a pu néanmoins s'éprendre du sémillant abbé qu'elle voit de loin, le récit de ses succès féminins achevant sans doute – c'est là chose bien banale – de créer chez la supérieure un vif et coupable désir. Au début des années 1620, mère Jeanne des Anges demande à Urbain Grandier d'être le confesseur du couvent, ce qu'il refuse. La supérieure jette alors son dévolu sur le chanoine Mignon, l'ennemi juré de Grandier. Durant dix ans, Mignon cherchera par tous les moyens à nuire à son adversaire, par des cabales et des actions judiciaires pour impiété. En 1632, mère Jeanne des Anges déclare avoir été ensorcelée par Grandier qui aurait envoyé le démon Asmodée pour qu'il prenne possession d'elle et la pousse à commettre des actes impudiques avec lui. Peut-être victimes d'un phénomène d'hystérie collective, les autres nonnes lui emboîtent le pas. Grandier est arrêté, des séances publiques d'exorcisme et de flagellation des nonnes à Sainte-Croix attirent un vaste public concupiscent. Cependant, le tribunal ecclésiastique ne se laisse pas impressionner par le délire des sœurs et acquitte Urbain Grandier.

Hélas, le cardinal n'est pas loin, cette histoire lui tient à cœur pour plusieurs raisons, on l'a compris. Il ordonne un nouveau procès dans des conditions exceptionnelles ne donnant pas droit à un appel devant le parlement de Paris. Richelieu désigne pour conduire les débats un fidèle, de plus parent de la mère supérieure. Quoique ni les nonnes ni la supérieure ne réitèrent leurs accusations, Grandier est soumis à la question ordinaire et, sans aveu, condamné au bûcher précédé de la question extraordinaire. Cela consiste à mettre en pièces le supplicié avant de l'achever par le feu. Les « juges » appuient leur verdict sur des documents prouvant le pacte entre l'abbé et des démons qui signent de leurs noms, y compris le premier d'entre eux, Satanas ! Malgré l'incroyable sauvagerie avec laquelle on s'acharne sur lui, Urbain Grandier niera jusqu'au bout. Alors que le brasier du bûcher dressé en 1634 sur la place qui fait face à l'église Sainte-Croix achève d'effacer les forfaits des tortionnaires, les travaux de construction du château et de la ville de Richelieu peuvent prendre leur essor.

Rien n'est trop beau, nous l'avons vu, pour que rayonne le vaste domaine, son château et sa ville, à la gloire du cardinal. L'eau pure et claire de la fontaine de Bisseuil est acheminée par un aqueduc du parc au centre de la ville tandis que les eaux usées de cette dernière sont rejetées dans une petite rivière, le Marble. Les habitants sont exemptés de taille et de gabelle et des lettres patentes royales autorisent à créer des foires et marchés dont les marchandises seront libres de droits. Le duc-cardinal caresse même l'espoir de prolonger le Marble jusqu'à la Vienne pour faire de Richelieu un port fluvial. Les chantiers seront achevés en 1642, au moment de la mort du cardinal, les nobles déserteront alors la cité qui ne sera jamais reliée aux autres villes par un réseau navigable. Vengeance et ironie de l'histoire : le château de Richelieu sera acheté comme bien national et pour une bouchée de pain en 1805 par le sieur Alexandre Bontron qui le vendra pierre par pierre jusqu'à ce qu'il n'en reste rien, pas même les fontaines si essentielles à la vie de la cité. Loudun et Richelieu peuvent se considérer aujourd'hui presque quittes.

Retour aux origines, chemin de vie

De Richelieu à Descartes, à cheval sur les départements de la Vienne et de l'Indre-et-Loire, la Touraine et le Poitou-Charentes, la route est longue et, sur une trentaine de kilomètres, jusqu'à la vallée de la Vienne et la ville des Ormes, je ne peux éviter d'emprunter des routes goudronnées impitoyables pour mes genoux. Je serre les dents et refuse tout compromis avec les articulations rebelles, je sais maintenant qu'elles me donneront du fil à retordre jusqu'à la fin de mon parcours, toute faiblesse en compromettrait l'issue. Je m'engage à partir de ce moment dans un combat honorable, il connaîtra des hauts et des bas, des accalmies et des paroxysmes. Puisque la partie la plus sotte de mon corps, non pas ma tête, mon cœur et mes poumons mais de vulgaires jointures, fait mine de me trahir, je la répudie et la déclare extérieure à moi, réduite au rang infamant de nuisance à surmonter, coûte que coûte. Cette lutte exige que je ne faillisse point, que je ne ralentisse pas, et aussi que je protège mon esprit d'une invasion de pensées mortifères engendrées par une douleur qui parviendrait sans cela à perturber mes émotions et à chasser ma joie, c'est-à-dire à ruiner l'essence de mon projet. J'y parviens assez bien, mon exorcisme *vade retro doloris* ayant plus d'effet que le *vade retro satana* sur les nonnes possédées de Loudun. De plus, Princesse mascotte m'apporte un réconfort essentiel en prenant à son compte mon moi insouciant, joyeux, romantique et poète et en me laissant faire mon affaire du reste. Ce dualisme me permet de garder l'univers enchanté de l'esprit à l'écart des tourments du corps que je parviens à quitter parfois pour ne plus ressentir que l'allégresse du chemin. La protection d'un tel dédoublement de personnalité m'est essentiel en arrivant à Descartes, après la traversée de la rivière Creuse que je suivrai maintenant plus ou moins à distance jusqu'au plateau de Millevaches, et, surtout, en repartant le lendemain pour Le Petit-Pressigny. Pour ce qui me concerne, je grimace, Princesse mascotte sourit de façon imperturbable, je me réfugie dans la joie d'être de ma peluche au corps jeune, souple, d'apparence inaltérable. Tous deux choisissons de faire un large détour par les champs et les bois afin de raccourcir autant qu'il est possible la marche sur terrain dur. Pourtant, à notre arrivée, garder la jambe gauche étendue provoque, lorsque je suis allongé, d'intolérables élancements qui perturbent mon sommeil. La journée de repos que nous nous octroyons dans ce petit village du sud de la Touraine où je suis né il y a soixante-dix ans permettra sans doute de tout remettre en ordre ; avec le soutien de ma petite princesse, mon optimisme est inaltérable. Ce sera aussi l'occasion d'évoquer les différents aspects d'un parcours.

Pas tant celui au tiers environ duquel je me situe entre la pointe de la Bretagne et la Méditerranée à la frontière italienne que l'autre, celui d'une vie. Sur la route de cette dernière, je suis bien plus près du terme que du départ, c'est là une observation de bon sens dénuée de toute tristesse, angoisse ou nostalgie, mes démêlés avec mes stupides genoux en sont une manifestation. Cependant, outre la visite toujours un peu émue hier en arrivant à la maison où je suis né et à celle où j'ai passé, heureux, les cinq premières années de ma vie, la reconnaissance des lieux auxquels remontent mes premiers souvenirs, mon cheminement de marcheur lui-même conduit à un retour sur celui de ma vie et à l'évocation de la route qu'il me reste à parcourir. Oh, ce ne sont pas là, et de loin, les seules pensées qui viennent en chemin, les thèmes abordés dans cet ouvrage en témoignent. Pourtant, innombrables sont les images, les sons, les odeurs et, de façon plus générale, les sensations, même fugitives, qui renvoient à un souvenir plus ou moins profondément enfoui dans ma mémoire, qui sollicitent et amènent en pleine conscience des représentations mentales dont la netteté me surprend souvent. Tout s'enchaîne, alors, une pensée en appelle une autre, une scène se complète dans l'esprit pour devenir une séquence, un spectacle, une tranche d'existence, presque une existence entière. Ainsi mon évocation dans les Deux-Sèvres des premières vacances passées sous la responsabilité de Mlle Bésineau, la Mzzelle, a-t-elle éveillé aussi en moi le souvenir de l'unique et bref séjour en compagnie de mon père et ma mère dans le Jura où mes deux frères aînés étaient en colonie. Image un peu tremblante de par son ancienneté mais aussi l'irréalité liée à son caractère exceptionnel. Le souvenir de cette exception me renvoie à la déchirure entre mes parents, puis à leur rupture alors que, âgé de dix ans, je vivais avec eux depuis cinq ans seulement. Cette séparation constitua la seconde épreuve réelle de mon enfance après l'arrachement à ma nourrice au Petit-Pressigny. Je suis allé revoir la terrasse sur le devant de la maison où nous habitions, dans la partie haute du village. L'image du garçonnet cramponné là aux jupes de cette femme et hurlant : « Maman nounou, je ne veux pas te quitter », arraché pourtant, s'est imposée d'un coup avec la netteté que j'ai dite. Après le départ de notre père et du frère aîné de la maison familiale, Olivier et moi sommes demeurés chez notre mère, avons partagé les mêmes longs séjours d'été dans le Médoc avec la Mzzelle. Mille épisodes surgissent de cette coédification fraternelle jusqu'à notre âge de jeunes adultes. Mon frère Olivier était alors le mètre étalon à l'aide duquel je me mesurais moi-même. Disparu subitement, jeune encore, en pleine gloire scientifique, c'est maintenant l'image de son corps inanimé qu'il m'a fallu reconnaître qui s'impose. Je ressens la même incrédulité qu'à cet instant, suis saisi du même vertige que celui éprouvé alors devant l'évanouissement de ma référence principale depuis le suicide de notre père.

Bien entendu, les spectacles beaux que je contemple, les joies que j'en éprouve, l'impression de bonheur qui en émerge, sollicitent d'autres visions heureuses, mes rêves, mes amours, mes enfants, mes succès. Et ainsi de suite, sans fin, c'est bien par touches colorées successives que se reconstitue le tableau impressionniste d'une existence. Et puis tout chemin a son terme, celui qui me fait à nouveau traverser la France selon une diagonale entre deux mers jusqu'à Menton comme celui qui a commencé il y a près de soixante-dix ans dans une petite maison du bourg du Petit-Pressigny, derrière le lavoir. Ce terme est plus ou moins proche, il est inéluctable. Lorsqu'il est le but que l'on s'est fixé, il peut engendrer une certaine allégresse, souvent atténuée cependant par une impression d'incomplétude, de manque puisqu'il existe alors un après. Qu'en est-il de la fin du chemin d'une vie, lui qui s'interrompt sans au-delà, qui débouche pour un agnostique sans état d'âme sur le néant ? Certes, persiste alors pour un temps plus ou moins long les traces de l'empreinte laissée dans l'esprit des vivants mais il s'agit alors d'autres parcours que celui qui s'est interrompu. De plus, le souci que l'on peut avoir de sa postérité est singulier puisque, par définition, elle débute après la mort, c'est-à-dire alors qu'on n'en pourra rien connaître. Tout juste, mais cela est important, doit-on se soucier de donner et de partager de son vivant, en particulier et essentiellement, les richesses que la créativité de l'esprit a permis d'accumuler, les œuvres,

107

en sachant que leurs bénéfices pour autrui ne cesseront pas à la mort du créateur. Y a-t-il antinomie entre l'inéluctabilité d'une disparition définitive et un cheminement vers cette issue aussi allègre que celui qui me conduit au bout de mon parcours entre deux mers ? Non, m'apparaît-il. La jubilation que j'éprouve sur les chemins de France malgré les protestations de mon corps en témoigne. Certes, je ne marche pas vers la mort comme pour la défier, la conjurer de façon absurde, j'avance sur les routes et les sentiers de mon pays et, lorsque j'y parviens, communie avec ses habitants, leurs déceptions et leurs espoirs. Cependant, comment ignorer que, chemin faisant, je me rapproche aussi, inéluctablement, de ma propre fin, du terme de mon parcours de vie ? C'est là un cadre contraint mais n'est-il pas en fait celui de toute action humaine qui s'inscrit nécessairement dans un intervalle de temps ? À ne pouvoir se satisfaire que de l'éternel, au moins de l'indéfini, il serait impossible d'être heureux, la perspective de la fin du bonheur en ruinant toujours l'impression. Et puis, au Petit-Pressigny, la situation n'est pas aujourd'hui radicalement différente de ce qu'elle était lorsque le petit Axel de quatre ans avait commencé de prendre conscience de la disparition des anciens, et par conséquent de ce que l'existence est appelée à s'achever. Seule la contrainte temporelle s'est renforcée, et de la sorte une certaine hantise du temps perdu à s'arrêter au subalterne, voire à l'insignifiant. Bien entendu, je n'ai pas l'outrecuidance de juger de ce qui dans l'absolu vaut ou ne vaut pas la peine d'être considéré mais, en ce qui me concerne, j'en ai une idée assez exacte. Aussi suis-je aujourd'hui aussi convaincu que je l'ai toujours été que l'on peut avancer dans une certaine allégresse aux différents âges de sa vie, non pas vers son issue parce que telle serait la finalité de l'existence, mais dans le cadre imposé qu'elle constitue. Se rapprocher de sa mort, bien sûr, mais pas dans le but de s'y rendre, dans la seule conscience sereine qu'elle est l'une des données de la vie. Et dans ce cadre, cheminer avec un désir inchangé et toujours un peu inassouvi de vivre, intensément, d'être heureux, s'il se peut.

Il se peut, n'en doutons pas ! Ma journée passée dans le village de ma naissance et de mon enfance en témoigne. Je m'amuse, espiègle, à photographier mon double en peluche dans tous les lieux de mes souvenirs. Je le conduis au bord de la petite rivière l'Aigronne là où Olivier, lorsque j'avais trois ans et que nous « pêchions » tous deux, le grand derrière le petit, me jeta à l'eau car je le gênais. Il est vrai qu'à ma naissance, mon frère âgé de deux ans allait répétant : « Je ve le té, le fèr. » J'ai l'idée un instant de faire subir le même sort à Princesse mascotte, puis me ravise. À soixante-dix ans, tout de même, la gaminerie a ses limites ! Pour me faire pardonner, j'installe ma petite amie d'abord au milieu d'un tapis de nigelles de Damas bleu ciel à la féminité extravagante avec leurs cinq pistils démesurés écrasant de leur splendeur décomplexée des étamines rabougries, puis finalement, dans mon grand lit à baldaquin. Je débute ensuite une série de rencontres, avec la nouvelle municipalité élue en mars 2014, des amis, des lecteurs, puis revisite des villages et châteaux des environs. Avec Valérie et Loïc, les propriétaires des chambres d'hôtes où j'ai maintenant mes habitudes, je m'informe des potins du village. Pour achever de me réconforter de mes peines du corps et de l'esprit, je dîne le second soir, comme chaque fois que je suis au Petit-Pressigny, à La Promenade, le merveilleux restaurant gastronomique de mon ami Jacky Dallais, de Dany et de leur fils Fabrice. C'est là promesse d'un optimisme à toute épreuve et d'une énergie reconstituée. Une bonne nuit moins douloureuse et je suis prêt à repartir, direction le Berry, l'Indre et la Brenne.

La Brenne, les malheurs de la belle

Je quitte Le Petit-Pressigny le 6 juin, presque un mois après mon départ de Bretagne. Prenant le plus grand soin d'éviter tout trajet prolongé sur terrain dur, je marche lorsque, pour un temps, je ne peux manquer d'emprunter une route, sur ses bas-côtés herbeux. Dans ces conditions, ma carcasse semble accepter – pour combien de temps ? – l'armistice que je lui propose, je progresse rapidement. Après Azay-le-Ferron, son château et son parc qui me sont familiers, j'aborde les étangs de la Brenne vers Saint-Michel, petite commune en bordure nord du parc naturel régional. Je sais que Michèle, l'hôtesse des Cyclamens, m'y attend de pied ferme. Elle fait d'ailleurs plus que m'attendre, elle vient à ma rencontre. C'est que, passionnée par ma démarche de découverte des beautés du pays et d'échange avec ses populations, cette femme de mon âge, aux idées bien arrêtées et au caractère affirmé, a organisé pour moi une rencontre avec les « forces vives » de la Brenne.

Il y a là une quinzaine de Brennous, cultivateurs, pisciculteurs, commerçants, le directeur du parc naturel régional, et le préfet de l'Indre. Dans le grand jardin ensoleillé des Cyclamens puis, lorsque la fraîcheur du soir se fait sentir, autour d'une table débordant de produits locaux, carpe fumée et feuilleté de carpe, mes interlocuteurs se confient longuement. Ils me parlent de leurs terres et de leurs étangs, de leur passion pour ces paysages étranges et de leur inquiétude de s'en sentir peu à peu dépossédés. La désertification rurale est dans la Brenne d'une intensité particulière, associée ici à une déprise agricole de plus des deux tiers des surfaces jadis cultivées. Je n'avais observé ce phénomène en 2013 que dans le Morvan, et encore à un degré bien moindre. Les sols, inondés en hiver et desséchés en été, sont ici peu généreux. Leur culture se justifiait jadis lorsque la production des cultivateurs avait une fonction surtout vivrière et non commerciale, elle a perdu tout intérêt lorsqu'il s'est agi de tirer un profit marchand de ce que la terre voulait bien permettre de récolter. De plus, un phénomène intercurrent est intervenu, la vente massive de surfaces agricoles à des gens étrangers au monde rural mais désireux de développer des chasses privées. C'est que la Brenne n'est pas riche seulement en gibier d'eau, les animaux à poil y abondent aussi. Compte tenu de l'ampleur du mouvement, les prix des parcelles se sont envolés, atteignant vingt mille euros l'hectare d'un terrain qui n'aurait auparavant pas trouvé preneur pour trois mille euros. On assiste de ce fait à une véritable « solognisation » de la Brenne, avec les mêmes nuisances que dans la Sologne véritable : clôture des espaces limitant de plus en plus la liberté de circuler, expulsion progressive des Brennous de leur terre natale, développement des friches, etc. On comprend combien ont du mérite les quelques dizaines d'éleveurs de races bovines à viande, charolaises au nord et de plus en plus limousines au sud de la limite du parc, qui s'échinent à continuer de vivre et travailler au pays, ce qui requiert parfois certaines acrobaties. Les prairies sont trop maigres pour assurer un engraissement rapide des veaux si bien que des éleveurs se sont souvent spécialisés dans la naissance des bêtes et leur allaitement sous la mère, après quoi elles sont confiées à des « engraisseurs », bretons notamment, qui portent le poids du jeune bovin à celui attendu pour un « broutard ».

De plus, comme si ces épreuves n'étaient pas suffisantes, les pisciculteurs aussi connaissent des jours difficiles. Le prélèvement de poissons par les hérons cendrés était jadis limité et bien géré. Hélas, de nouveaux envahisseurs sont apparus, les cormorans venus des mers australes et les grandes aigrettes de l'hémisphère Sud et de l'Europe centrale. L'origine en est sûrement leur inscription parmi les espèces protégées, ce qui a favorisé la forte augmentation de leur population, d'abord dans les principaux pays de nidification (les pays scandinaves pour les cormorans), puis au-delà dans toute l'Europe. Les animaux de plus en plus nombreux se sont progressivement éloignés de leur milieu naturel pour trouver de la nourriture et ont repéré un exceptionnel garde-manger dans la Brenne. Je ne sais comment fonctionne le « téléphone arabe » chez les volatiles mais force est de constater qu'il a fonctionné. Les dégâts causés aux poissons par ces écumeurs des mers et des lacs, nouveaux Vikings fondant sur l'Indre, sont considérables et ils provoquent un marasme de cette activité traditionnelle qu'est ici la pisciculture. La Brenne est belle, par conséquent, magnifique même, je m'apprête à l'éprouver, mais la belle est bien malade. L'habile et énergique développement du parc naturel régional et le tourisme ciblé qu'il suscite constituent aujourd'hui le principal espoir pour le fragile tissu économique du territoire. Ceux qui visiteront cette région comme je le leur conseille développeront leurs connaissances ornithologiques et seront éblouis, comme je l'ai été. Ils contribueront de plus à maintenir hors de l'eau la tête de ce territoire attachant et de ses habitants courageux.

La longue soirée organisée par Michèle me donne quantité de clefs pour aborder le lendemain la grande traversée de la région, de Saint-Michel-en-Brenne à Saint-Gaultier sur les bords de la Creuse. J'avais prévu à l'origine de cheminer sur la voie directe entre ces deux villes distantes d'une trentaine de kilomètres. Cependant, dès mes premiers pas, je renonce à ce plan absurde qui m'aurait amené à suivre une route agricole revêtue toute droite en restant à distance des plans d'eau, des brandes et des forêts. Je prends dès que possible le chemin de grande randonnée de pays (GRP) qui serpente dans la Brenne, en fait presque le tour en contournant l'impressionnant domaine militaire de Rosnay, base ultra-sécurisée des télétransmissions de la marine nationale. Par l'étang du Blizon, je gagne le bourg de Rosnay, puis par le Grand et Petit-Riau, l'Étang-Neuf et tant d'autres, la vallée de la Creuse que je longe à distance vers l'est jusqu'à Saint-Gaultier. Je suis toute la journée assailli d'impressions fortes. J'aime à imaginer que, aux temps anciens des divinités fondamentales, l'une d'entre elles reçut la mission de veiller sur le trésor des dieux, des disques en argent que des cyclopes tenus en esclavage depuis leur rébellion du temps du déchaînement des volcans extraient de la grande mine sans doute épuisée de nos jours. Le gardien du trésor est tombé amoureux de la princesse du printemps et des fleurs qui ne semble pas insensible à ses attentions mais Wocreusindre, le grand roi des dieux qui jette lui-même un regard concupiscent sur la belle, s'est opposé à l'union. Alors, fou de désespoir et de rage, la malheureuse divinité éconduite prend à pleines poignées les pièces étincelantes et les jette sur la Terre en un geste fou de défi. Retombant dans un plat pays, ces piécettes scintillent immédiatement sous l'ardeur du soleil, et ainsi est créée la Brenne et ses milliers d'étangs aux miroitements d'une incroyable diversité.

En fait, mon illusion n'est pas très éloignée de la réalité puisque, si les lacs de la Brenne ne proviennent pas du dépit amoureux d'un dieu, ils sont la conséquence de la déception des moines de la région, possesseurs de vastes terres et qui, désespérés d'y faire pousser correctement quoi que ce soit, décident en désespoir de cause, dès le VIIe siècle et surtout à partir du XIIe siècle, de transformer cette région de marécages stériles en étangs pour la pisciculture. Les pièces d'eau communicantes sont disposées sur des terrasses étagées et s'évacuent finalement dans la Creuse au sud ou la Claise au nord. Les poissons, dont soixante pour cent de carpes, des tanches, gardons et brochets, sont recueillis chaque année par évacuations successives des étangs dont chacun se vide dans celui situé immédiatement en contrebas ou dans la rivière, en commençant par la pièce d'eau la plus avale et en remontant progressivement la chaîne jusqu'à évacuation de l'étang supérieur. Plusieurs milliers de tonnes de poisson étaient ainsi sans doute recueillies jadis, environ mille deux cents de nos jours. C'est là une forme de récolte autrement plus attrayante que celles escomptées par la culture des basses terres de la Brenne composées d'un sédiment argilo-siliceux contenant des débris du gré rouge de la région, terrain peu propice à l'agriculture. Les sols sont détrempés pendant la mauvaise saison, craquelés sous l'ardeur du soleil estival, essentiellement stériles. Le résultat pour le randonneur qui choisit de pénétrer par les petits chemins au cœur de la Brenne est saisissant. Dans un vaste territoire presque désert, il chemine dans un bocage dont les haies limitent plus d'étangs (il y en a encore plus de deux mille, certains de quelques hectares seulement, d'autres vastes de plusieurs centaines d'hectares) que de prairies, de plus en plus souvent aussi des friches envahies de hautes brandes. Presque chacun de ses pas provoque l'envol d'innombrables oiseaux terrestres des taillis alors que, dans chaque étang, les cygnes et leurs portées, de plus rares sarcelles s'éloignent des rivages dont l'étranger s'est approché. Les hérons, les canards colverts et les petites guifettes moustac choisissent plutôt de disparaitre dans les airs dans un fracas de battements d'ailes. On trouve ici quatre espèces de hérons : la grande aigrette blanche est la plus volumineuse, le héron cendré le plus commun, le héron pourpré emblématique de la Brenne le plus beau, l'aigrette garzette, elle aussi immaculée, la plus petite. Les fuligules milouins, foulques, grèbes et poules d'eau effectuent un élégant et comique ballet aquatique, ils basculent à tour de rôle en montant haut leurs derrières colorés ou noirs avant de plonger sous l'eau pour réapparaître à distance. Princesse mascotte et moi ne nous lassons pas de les observer. Selon la course du soleil, la proximité des haies et des arbres, le développement d'algues, la présence de nénuphars, l'empiétement de roselières sur les rives, et aussi une alchimie aquatique dont j'aime qu'elle reste pour moi énigmatique, le chatoiement des surfaces couvre une étonnante palette de couleurs et de formes, d'images parfois floues et changeantes, d'autres fois d'une étonnante netteté qui ne le cède en rien à ce qui est reflété. En de rares endroits, le promeneur débouche sur de belles propriétés, anciennes fermes rénovées, dont les grés rougeoient en pleine lumière. Le spectacle par cette chaude journée ensoleillée est enchanteur.

Il est fort tard lorsque je parviens, un peu éprouvé mais repu de beauté, à Saint-Gaultier. La journée a été chaude, mon compteur GPS m'indique que j'ai parcouru quarante-cinq kilomètres et demi. Ce sera là, sinon la plus difficile, au moins l'étape la plus longue de mon parcours. Quoique les jointures peinent, elles tiennent. Je me fais l'effet d'un sergent qui impose pour la mater une marche forcée à sa troupe rebelle. Pour l'instant, cette méthode forte ne réussit pas mal. Je n'ai de toute façon pas le temps de m'apitoyer sur mon sort car un groupe de syndicalistes de la CFDT m'a donné rendez-vous pour évoquer avec moi la consternante évolution des emplois dans la région, prompts à s'envoler comme les oiseaux migrateurs de la Brenne. Les Mauges sont bien loin.

IV

Solitudes centrales
De la Creuse à la vallée du Rhône

*Sur les pas de George Sand,
la vallée des peintres*

Je me trouve près du milieu géographique de ma diagonale. Après avoir traversé une nouvelle fois la Creuse à Saint-Gaultier, j'entreprends d'en remonter le cours par les escarpements qui la bordent jusqu'au plateau de Millevaches où elle prend sa source. Devant moi, avant la frontière italienne et la Méditerranée, les barrières successives du Massif central, des monts de l'Ardèche, puis des Alpes entraveront ma route, je les respecte mais ne les crains pas. La rébellion articulaire est momentanément circonscrite, j'en ai en principe fini des grandes cavalcades pédestres sur terrain dur et en plaine, les plus éprouvantes pour les genoux, tout va bien. J'ai choisi de délaisser la route logique par le bord de la rivière et Argenton-sur-Creuse pour couper droit dans le coteau de la rive gauche et ne retrouver la Creuse qu'à Éguzon, c'est-à-dire à la hauteur du barrage de retenue du même nom. Je parviens à l'aide de mon GPS à n'emprunter que des chemins ruraux et forestiers sans m'égarer trop. Le temps est orageux, j'essuie quelques grains sans importance et chemine sans souci dans un agréable paysage vallonné, agricole ou boisé, parsemé encore de jolis étangs couverts de nénuphars blancs en fleur. Je suis surpris de l'abondance et de la taille impressionnante – souvent plus de deux à trois mètres de haut – des grandes digitales que je retrouverai tout au long de ma traversée du département de la Creuse. Leurs jeunes et profondes corolles roses à l'intérieur tacheté de pourpre m'apparaissent, pour être franc, assez suggestives et indécentes, elles me mettent d'une humeur badine et coquine que remarque sans doute, amusée, Princesse mascotte.

Je laisse à quelques kilomètres sur ma gauche le si joli village de Gargilesse, en aval du barrage. Ce nom est indissociable du souvenir de George Sand qui y posséda une chaumière où, quittant son domaine de Nohant à une cinquantaine de kilomètres de là, elle fit à partir de 1857 plusieurs brefs séjours mis à profit pour écrire. Elle avait traversé Gargilesse jadis, dans les années 1840, avec Frédéric Chopin mais les lieux évoquent surtout son dernier et jeune amour, Alexandre Manceau. « Il faut arriver là au soleil couchant, écrit-elle, chaque chose a son heure pour être belle. » Cette phrase d'une amoureuse de plus de cinquante ans m'émeut, moi le marcheur septuagénaire épris de beauté et des femmes. Je frémis de mettre mes pas dans ceux de l'écrivain, cette émotion m'accompagnera tout le temps que je parcourrai les gorges cristallines de la Creuse. La « dame de Nohant » était fort attachée aux paysages de l'Indre et du nord de la Creuse où elle effectua des années durant de nombreuses excursions, en compagnie de Chopin entre 1840 et 1847. Elle écrit, par exemple : « C'est la vraie campagne comme je l'aime, sauvage, riante... Une suite infinie et toujours variée de décors... Cet adorable pays où l'on est toujours récompensé de sa peine, que l'on soit naturaliste ou paysagiste ou simplement rêvassier... » (Lettres) Ses impressions et émotions nourrissent nombre de ses œuvres. Elle et Chopin attirèrent en ces lieux quelques-uns parmi ceux que la littérature et la musique romantiques et postromantiques connaissaient alors de plus brillants (Hugo, Flaubert, Dumas fils, Balzac, Liszt, Meyerbeer...). Le peintre Eugène Delacroix y eut son atelier. Théodore Rousseau et Corot eurent l'occasion de poser leur chevalet dans la région. Cet exceptionnel foyer de vie culturelle au cœur de la campagne berrichonne et aux confins du Limousin facilita bien entendu la redécouverte ultérieure par les impressionnistes et leurs successeurs des merveilles de la vallée de la Creuse quand elle aborde les roches granitiques des contreforts du Massif central. Le développement du chemin de fer amplifia le mouvement lorsqu'il permit de s'y rendre dans des conditions moins héroïques qu'à l'époque de George Sand et de Chopin. Ils vinrent tous deux à Crozant en septembre 1843. L'endroit était encore sauvage comme en témoigne un dessin sur papier de Maurice, le fils de l'écrivain. Seuls de mauvais chemins taillés dans la broussaille et serpentant dans une lande sablonneuse et rocheuse où poussent des bruyères et des genêts y menaient. Chopin est monté sur un âne, on dort dans la paille. George Sand apparaît fort impressionnée ; découvrant les ruines du château, elle écrit : « Les débris de construction ont tellement pris la couleur des rochers, qu'on peine, en beaucoup d'endroits, à les distinguer de loin. On ne sait donc qui a été le plus hardi et le plus tragiquement inspiré, en ce lieu, de la nature ou des hommes. » (*Le Péché de Monsieur Antoine*)

Mis au courant de mon passage, les maires des deux communes Éguzon et Chantôme, aujourd'hui fusionnées, ont tenu à me rencontrer. Ils viennent tous deux avec une bouteille de champagne dans la ferme-auberge où je fais étape et, pendant que nous buvons, évoquent leur village au cœur de la « vallée des peintres ». Gargilesse est à huit kilomètres en aval, Crozant et Fresselines à quelques dizaines de kilomètres en amont. C'est là que s'épanouit durant près d'un siècle l'école picturale de Crozant, active des débuts de l'impressionnisme jusqu'à ce que la construction du barrage et l'immersion de la vallée en 1926 ne tarissent peu à peu le flux des peintres. Habité par ces références, ces évocations fraîches en mon esprit, je crains d'en chercher anxieusement les traces tout au long du chemin et d'être au total déçu, d'autant que le paysage a changé puisque le lac Chambon s'étale aujourd'hui dans la vallée profonde aux granits déchiquetés où s'écoulait jadis la Creuse. Ce sera l'inverse, je serai subjugué, bouleversé par la splendeur des paysages réels dont j'avais pourtant déjà tant admiré les représentations peintes. L'émotion me saisit à nouveau pendant que je relate cet épisode de mon voyage, que mes yeux se portent alternativement sur les photographies que j'ai prises et sur l'œuvre peint qui lui correspond. Ce fut là sans nul doute l'un des sommets de mon cheminement entre deux mers.

Mon désir de m'imprégner des paysages que je m'apprête à découvrir, de communier avec eux, de les comparer en pensée avec ce que je me rappelle des tableaux qui les représentent, m'a incité à ne prévoir ce dimanche de Pentecôte qu'une étape courte. Il n'y a que douze kilomètres par la route entre Éguzon et Crozant, dix-sept environ en empruntant le chemin en balcon qui longe depuis le barrage et dans la pente ici très raide le versant gauche de la vallée de la Creuse et du lac de retenue. Même en ajoutant un détour supplémentaire par la vallée de la Sédelle, je devais pouvoir disposer sans difficulté de l'après-midi pour jouer les touristes. Un orage d'une exceptionnelle violence s'est abattu dans la nuit, accompagné de pluies diluviennes et de violentes bourrasques de vent. Le dimanche matin, cependant, le calme est revenu. Une grande fraîcheur succédant à la chaleur de la veille et aux trombes d'eau déversées dans la nuit a entraîné la formation d'un brouillard dense que le soleil généreux du jour dissipera peu à peu. Quittant la route à la sortie d'Éguzon, je descends par une sente raide où l'eau ruisselle encore vers le lac près du barrage et rejoins le sentier à flanc de pente. La brume estompe les contours des arbres et des rocs, j'ai d'abord du mal à discerner la surface du lac qui émerge lentement de l'atmosphère brouillée tandis que je marche au sud vers Crozant. Le regard perdu dans l'incertain, mon ouïe est sollicitée par des notes aussi cristallines que les pierres que je foule. Il me semble reconnaître un prélude de Chopin. Ce doit-être cela car je le devine maintenant, la main dans celle de George Sand, amoureuse et maternelle. Ils glissent tous deux au-dessus du lac embrumé puis s'évanouissent avec la nébulosité, les chants d'oiseaux remplacent alors les notes du piano.

Mon cheminement onirique et poétique est hélas bientôt interrompu, avec le sentier, par des arbres déracinés qui me barrent la route. Lorsqu'il n'y en a qu'un ou deux, il n'est pas trop difficile de franchir l'obstacle. Ailleurs, en revanche, le passage est acrobatique, voire périlleux car le contournement des géants abattus dans la pente très raide est le seul moyen de progresser. En un endroit, à environ mi-chemin entre Éguzon et Crozant, la barrière végétale s'étend sur une bonne cinquantaine de mètres, elle déborde largement le chemin vers le haut comme vers le bas. Je suis obligé, pour passer l'obstacle, de grimper de plusieurs dizaines de mètres dans la pente raide et sur une terre détrempée et meuble. Conscient du danger, je m'assure autant que je le peux en me tenant aux branches des arbres à terre. D'un seul coup, le sol se dérobe sous moi et je reste suspendu par les bras ; la tension brutale accrue par le poids du sac porte d'abord sur l'épaule droite qui se déboîte. La douleur est vive mais dès que je peux retrouver appui sur un tronc, une manœuvre accompagnée d'un petit claquement sec me permet de remettre la tête humérale en place dans son cotyle. Cependant la douleur persiste et je dois m'aider de l'autre main pour lever le bras droit au-dessus de l'horizontale. Je puis encore me servir de mon bâton de marche mais empoigner mon sac pour le mettre sur mon dos est difficile ; je n'y parviens qu'en le chargeant d'abord de la main gauche sur mon genou fléchi avant de glisser avec précaution mon épaule droite dans la bretelle. Me voilà confronté à nouveau aux meurtrissures de mon corps, je me promets de continuer ma lutte pour n'y pas succomber. Princesse mascotte n'est que maculée de boue, elle va bien, n'est-ce pas l'essentiel ? Je poursuis mon chemin.

Un autre type de mal me saisit lorsque je franchis la confluence entre la Sédelle et la Creuse, puis arrive en vue des ruines du château de Crozat sur le piton qui la domine, il dissipe quelque peu celui du corps. Les symptômes de cet état étrange sont chez moi bien caractéristiques. Je ressens d'abord une impression de vide, comme une sidération de toutes mes pensées en cours, un anéantissement de ma volonté, une intense stupéfaction. Puis l'esprit recommence à fonctionner, de plus en plus vite, en désordre pour commencer, les images emmagasinées dans ma mémoire sont convoquées pêle-mêle par celle qui vient de s'imprimer dans ma conscience. Ma gorge se serre, elle me gratte, elle me pique, mes yeux aussi, ils s'embuent, les larmes coulent, en abondance parfois : c'est trop beau ! Eh bien, cette étrange maladie se manifeste à nouveau ! Je suis sidéré par la majesté du lieu, sa violence. Le granit impose sa loi, il donne son cachet aux habitations, aux moulins des bords de la Sédelle chers aux peintres. Il imprime son caractère à la vallée de la rivière qui se fraie un passage entre des falaises et des rochers granitiques autour desquels ses méandres s'enroulent langoureusement. Le mélange entre les eaux tumultueuses des affluents et le lac paisible qu'est devenue la Creuse depuis la construction du barrage crée à la confluence un maelström irisé d'une étonnante palette de teintes. Dominant cela, les ruines du château datant du XIIe-XVe siècle complètent le tableau d'une touche hiératique qui n'a pas échappé aux artistes qui se sont succédé ici. J'ai réservé le gîte et le couvert à l'Hôtel des Ruines, contigu au site. Je suis fort attendu, par les hôteliers, des touristes et une équipe de télévision qui me cherche dans toute la région depuis le matin mais ne risquait pas de me trouver sur ma piste incertaine. En leur présence, je dois donner le change comme, depuis mon départ, je m'y efforce chaque fois que la carcasse se manifeste ; il me serait insupportable d'être plaint. Seul doit alors s'exprimer le moi-Princesse mascotte, inaccessible au mal et au doute, inaltérable, serein et joyeux.

Je passe l'après-midi à retrouver les traces d'Armand Guillaumin, d'Eugène Alluaud et des autres peintres de l'école de Crozant qui arpentèrent des années durant ces chemins, ces ravins et ces vallées. Au bord de la Sédelle, le moulin Bouchardon et celui de la Folie sont toujours là. Depuis les ruines, le donjon carré et les tours rondes dont la romantique nostalgie est égayée par quelques massifs de rhododendrons, j'entre en contemplation de la Creuse et des reliefs entre lesquels elle s'écoule. Comme toujours avec les jeux d'eau, l'aspect s'en modifie toute la journée selon la position du soleil, ce qui explique la fascination de Claude Monet pour la confluence entre les petite et grande Creuse, à Fresselines un peu en amont. Il peignit là une série célèbre dont l'essentiel sinon tous les éléments sont aux États-Unis, la première de celles qu'il réalisa ensuite tout au long de sa vie. Il faut examiner longuement ces tableaux des « eaux semblantes », du bloc et du vieil arbre de la confluence et venir ensuite ici, s'imprégner par une belle journée de ces paysages avec un regard déssillé d'abord par celui du peintre. Face au donjon carré de l'ancien château se trouve, de l'autre côté de la Creuse, un roc imposant qui est le jumeau du bloc de Monet. Un méandre de la rivière l'enserre d'un côté, un collier de verdure constitué de fougères, d'arbres nains, aulnes, charmes et buissons, de l'autre. Sa surface granitique est couverte de lichens vert-jaune, bruns et pourpres, elle est constellée de bouquets d'arbrisseaux couvrant la gamme des verts. Les cristaux de roche dénudés ont des reflets changeants selon l'incidence des rayons du soleil et leurs effets sur l'eau, miroir calme ici, tourbillon coloré là, si bien que l'ensemble reproduit en effet la vaste palette impressionniste du peintre. Le spectacle est magique, ma princesse et moi l'observons fascinés jusqu'à ce que l'ombre gagne, annonçant le rideau de la nuit. Les yeux fermés, je me repasse alors les images du jour superposées à mon souvenir des œuvres. De la série de Monet aux paysages des peintres qui s'établirent en

127

ces lieux et jusqu'aux tableaux de Picabia qui y vint lui aussi, je décèle une commune énergie qui, se dégageant de ce que sont les paysages peints, se prépare à susciter l'une de ces révolutions que l'esprit impose en art à l'acte de création. Cette force-là palpite, bouillonne, cascade, elle imbibe tout ici. Un spectacle grandiose, sans nul doute.

Le silence de la Creuse

J'ai du mal à quitter Crozant, le lundi de Pentecôte, l'épaule endolorie mais l'esprit empli des impressions et images gravées la veille. Je m'apprête à traverser de part en part le département de la Creuse que je ne connaissais pas, en quatre longues étapes du nord-ouest au sud-est, de l'Indre à la Corrèze. Je parviens à éviter presque entièrement tout trajet sur macadam, j'emprunte des chemins repérés à mesure de ma progression, pistes de terre, sentes forestières et chemins vicinaux, au prix de quelques demi-tours lorsque je me suis engagé sur des voies qui se révèlent sans issue. Éviter les erreurs manifestes d'itinéraire est ce qui requiert le plus mon attention car il ne me faut pas compter sur les renseignements fournis par les habitants d'une campagne largement désertifiée. Le paysage dominant est celui de collines dont les sommets sont couverts de forêts de châtaigniers où l'on trouve aussi des chênes et des hêtres, des résineux dans les monts de Guéret. De vastes et vertes prairies fleuries dans lesquelles court souvent un ruisseau et plantées d'arbres majestueux et solitaires occupent les flancs des escarpements. Y paissent, parfois, des troupeaux de vaches limousines brunes et écornées. Çà et là, le marcheur découvre de petits lacs plus ou moins masqués par un écrin de verdure. La densité des digitales pourpres géantes déjà signalée est étonnante. Les vallonnements s'enhardissent à jouer à la montagne dans les monts de Guéret qui culminent à six cent quatre-vingt-six mètres au Puy de Chiroux par lequel je passerai. Ils laissent place à un véritable piémont en s'élevant au sud vers le plateau de Millevaches et, plus à l'est, l'Auvergne. Le marcheur a toute latitude pour jouir de ces perspectives, de leur harmonie et de leur paix, rien ne vient le distraire dans ses observations ou ses méditations, l'espace est, sorti des rares villes peu peuplées, essentiellement désert et silencieux, du moins en ce qui concerne les bruits liés à l'activité humaine car les oiseaux peuvent, eux, s'en donner à cœur joie. Excepté en montagne au-dessus des alpages, j'ai en fait rarement observé une telle impression de campagne à ce point abandonnée par l'homme. Même sur la superbe crête des Hautes-Chaumes du Forez dont j'ai, en 2013, vanté la beauté et la solitude, les nombreux troupeaux de vaches aubracs et de chevaux attestaient la persistance de l'activité agricole. Ici, durant les deux étapes qui m'ont conduit à travers les monts de Guéret, puis à distance de la vallée de la Creuse, d'Ahun à Aubusson, j'ai observé peu de bovins, aucune culture, aucune manifestation de travaux des champs en cours, je n'ai ouï ni vu aucune volaille, entendu aucun aboiement, toutes ces manifestations si banales de la vie à la campagne. J'ai traversé nombre de beaux hameaux aux massives et robustes demeures en blocs de granit dont au maximum une sur trois ou quatre est habitée. Cela est banal partout en France mais reflète surtout l'importante augmentation de la taille des exploitations, conséquence de la mécanisation de l'agriculture, sans que la déprise agricole soit le plus souvent perceptible. Ici, cette déprise est notable, même si elle n'atteint pas le caractère massif signalé il y a peu en Brenne.

Les causes de ce processus sont multiples, elles se retrouvent ailleurs dans le pays mais se combinent ici. De tout temps, la Creuse a laissé partir ses enfants qui ne trouvaient pas tous du travail sur place. Dans le Morvan, ce sont les nourrices et les galvachers qui allaient ailleurs gagner leur vie et étaient chargés de rapporter de l'argent au pays. La Savoie est célèbre pour ses petits ramoneurs, la Bretagne pour ses bonnes. La spécialité des Creusois est, depuis le Moyen Âge, le bâtiment dans tous ses métiers, la pierre, la maçonnerie, le plâtre, le stuc, le strass, etc. Les maçons des Marches, nom de la région sous l'Ancien Régime, étaient bâtisseurs de cathédrales. Ils s'employèrent au XVIIᵉ siècle à la confection de la digue de La Rochelle et il se dit qu'ils ont largement construit Paris. En tout cas, le baron Haussmann fit appel à eux pour ses travaux de reconfiguration de la capitale. Bien entendu, et cela n'est hélas pas une spécificité creusoise, la guerre de 14-18 a laissé des campagnes exsangues et accéléré le départ de jeunes qui, à l'occasion de la guerre et de son brassage de population, avaient pris conscience qu'une autre vie existait. Passant à la limite de la Combraille dans le petit village de Peyrabout, qui ne compte plus, en 2014, que cent trente habitants mais en avait un peu plus trois cents il y a un siècle, j'ai été épouvanté de voir la liste des noms de soldats tombés pendant la Grande Guerre, plus d'une cinquantaine !

La logique commerciale de l'agriculture, c'est-à-dire celle qui lui assigne le rôle de créer un pouvoir d'achat et non plus de produire surtout pour nourrir les cultivateurs de leurs propres produits, a été, comme dans la Brenne, impitoyable pour les terres pauvres à la productivité peu concurrentielle. Cette compétitivité peut être liée aux rendements que permet une terre généreuse, ou bien d'abord à l'attractivité de certains produits de qualité et (ou) de typicité particulière. En Creuse, la viande bovine limousine est le seul produit agricole d'appellation contrôlée dont la renommée soit nationale, et les vaches marron de cette race ne paissent pas qu'ici. Il y a dans le département cent vingt mille habitants, ce qui en fait, après la Lozère (soixante-dix-sept mille), le deuxième département le moins peuplé de France. Les bovidés sont approximativement aussi nombreux, ce qui représente bien sûr une très faible population humaine et une population animalière somme toute bien moindre que dans de très nombreuses régions d'élevage, d'où l'impression de campagne vide et silencieuse qui saisit le marcheur, surtout dans le nord Combraille. Les belles limousines, car j'en ai bien entendu observé quand même de beaux troupeaux, frappent le passant par des cornes absentes ou rudimentaires qui contrastent avec le bel équipement cornu des salers, aubracs et autres blondes d'Aquitaine. Contrairement à ce que le citadin pourrait en déduire, ce n'est en général pas là un trait de naissance. Certes, la sélection a isolé des lignées dépourvues de cornes, et des races étrangères sont dans ce cas, mais la limousine de chez nous possède, si on n'intervient pas, de bien beaux appendices frontaux. En fait, la tradition est d'arracher les bourgeons cornus aux jeunes veaux limousins destinés à devenir adultes. Les éleveurs m'ont déclaré que cette tradition un peu barbare, très pratiquée chez les laitières, était une mesure de sécurité, pour les bêtes elles-mêmes et pour leurs propriétaires et gardiens, la race étant réputée agressive. Quoi qu'il en soit de cette explication qui ne m'a pas vraiment convaincu, elle est à l'origine de l'expression : « Il fait un vent à décorner les bœufs. » En effet, jadis les paysans qui ne possédaient pas de désinfectants procédaient à « l'écornage » des veaux par temps de grand vent qui chassait les mouches, pour éviter les infections.

Les gens de la Creuse et d'ailleurs

Princesse mascotte et moi savourons l'harmonie silencieuse des paysages traversés. Nous nous allongeons à midi dans l'herbe grasse, à l'ombre d'un châtaignier ou d'un noyer, assurés que rien ne viendra troubler notre pique-nique et notre repos. Aux termes des étapes, l'accueil dans les gîtes et les petites villes où nous passons la nuit est sympathique, chaleureux, attentif. Dans le très beau domaine de la Jarrige atteint le premier soir près de Saint-Vaury, Yolande l'Alsacienne se révèle être une hôtesse attentionnée, excellente cuisinière de surcroît. Elle me fait visiter d'abord son petit royaume dans lequel une accorte ânesse coule des jours paisibles. Mon évidente affection spontanée pour le bel animal semble déplaire à ma peluche qui intrigue pour l'enfourcher, histoire d'établir une hiérarchie entre les deux équidés. J'ai beau lui faire valoir le goût douteux d'une telle promiscuité entre une pouliche et la femelle de l'âne, rien n'y fait, je m'exécute. Clic-clac, l'image est dans la boîte puis sur les réseaux sociaux où elle aura un franc succès. Mes enfantillages couronnant une étape corsée m'ont mis en appétit. Je partage le couvert ce soir-là avec deux intellectuels italiens qui, un peu comme moi les jours précédents, sont sur les traces de George Sand, des merveilles de la vallée des peintres et de ses jardins. Le dîner au cœur de la Creuse se transforme en l'une de ces discussions lettrées et passionnées telles que, invité par des universitaires en Italie, j'en ai connu tant. C'est là une parenthèse décalée que j'apprécie. Ma deuxième étape creusoise m'amène à Ahun où m'attendent deux personnes rencontrées au printemps dans une librairie de Tours. Ils me proposent de m'accompagner dans la visite du Moutier-d'Ahun sur les bords de la rivière traversée ici par un élégant et sobre pont médiéval du XIIe siècle. Le village s'est développé autour du monastère bénédictin, *Monasterium Agedunensis* d'où a dérivé le nom de Moutier. Il en demeure de beaux vestiges romans et gothiques en une pierre de granit dont sont faites aussi toutes les habitations du bourg. L'ensemble est sobre et noble, un peu austère en cette fin d'après-midi nuageuse alors que décline le jour. Il est temps maintenant de penser à me nourrir et à dormir, question non réglée car la chambre d'hôtes contactée pendant que je préparais mon périple se révèle fort éloignée et ne me propose pas le couvert. Je trouve à Ahun un « hôtel-PMU », le premier établissement de ce type que j'aie jamais rencontré. Il me semble adapté à la perfection pour recevoir la mascotte des jeux équestres et son chevalier servant, va pour l'hôtel-PMU, au demeurant simple et propre. Son gérant est un jeune homme charmant qui règne avec bonhomie sur ce lieu de rencontre de la population d'un bourg de mille cinq cents habitants. J'ai plaisir à observer ce reste de vie sociale qui tranche avec mes longues marches où je ne rencontre âme qui vive.

Aubusson, ma prochaine étape, sera l'occasion d'approfondir et de diversifier mes contacts avec des Creusois. Cette ancienne cité des lissiers est, à bon droit, fière de son histoire liée, comme dans la cité voisine et plus ou moins rivale de Felletin, à la tapisserie dont l'artisanat semble avoir été importé des Flandres au XIVe siècle. La manufacture royale créée au XVIIe siècle porte cette activité à son apogée. Mille à mille cinq cents personnes sont encore employées dans cette branche au début du XXe siècle. Après un déclin rapide, l'art de la tapisserie sera relancé à une plus petite échelle par les créations d'artistes tels que Lurçat. La cité d'environ trois mille sept cents habitants est bâtie en bord de Creuse, dominée par des collines. Sur l'une d'entre elles, la tour de l'Horloge semble veiller sur la basse ville avec ses élégantes habitations du XVIIe siècle, dont la « Maison des lissiers », aujourd'hui un très beau musée de la tapisserie. J'ai le temps de bien visiter le cœur historique d'Aubusson avant de me rendre à une rencontre-débat suivie de dédicaces organisée par la librairie La Licorne. C'est là l'occasion d'un échange riche avec des dizaines d'Aubussonnais de toutes professions, dont des élus et un ancien maire. Nous abordons en particulier la question de la montée progressive des suffrages qui se portent sur le Front national, dans les vieilles terres socialistes du Limousin comme ailleurs. Aux dernières élections européennes, le parti d'extrême droite est arrivé en tête dans le département, ce qui en a traumatisé beaucoup. De retour au petit hôtel de centre-ville où je loge, je donne une interview à un correspondant du journal régional. J'évoque pour expliquer le phénomène, le relier à la « sécession » que j'ai décrite en 2013, une conversation avec le patron d'un bar où je me suis arrêté à Peyrabout, au sud-est des monts de Guéret. L'homme d'une soixantaine d'années me rappelle ses souvenirs. Quand il avait vingt ans, il y avait des commerçants dans le village, une école, un médecin, un pharmacien, un bureau de poste. Les garçons et les filles pouvaient se rencontrer aux bals des fêtes de pays. Aujourd'hui, plus rien de tout cela n'existe, il faut prendre sa voiture et faire vingt kilomètres pour acheter un paquet de pâtes. Lui-même tient encore son établissement par habitude car c'est aussi son domicile, la fermeture proche est inéluctable. Comment cet homme ne serait-il pas convaincu que, jadis, la vie était plus belle qu'aujourd'hui ? Et comment s'étonner alors que tant de ruraux dans cette situation prêtent une oreille attentive à des gens qui proposent de revenir au passé ? Certes, ils savent au fond d'eux-mêmes que c'est absurde et impossible mais, en face, les partis traditionnels ne leur offrent aucune alternative désirable. Au journaliste qui me demande s'il n'y a vraiment rien à faire pour contrer la vague montante du vote rural en faveur de l'extrême droite, je réponds d'un souffle : « Si, offrir aux populations une perspective de développement des territoires, tout le reste est dérisoire ! » La belle soirée aubussonnaise s'achève par un excellent dîner en compagnie d'un psychologue qui, grâce à une approche résolument pluridisciplinaire, mène dans la Creuse un combat exemplaire en faveur du meilleur épanouissement de personnes handicapées accueillies en établissement.

J'abandonne de façon définitive la rivière Creuse après Aubusson. Je l'avais traversée une première fois à Descartes, juste avant sa confluence avec la Vienne ; Princesse mascotte et moi nous y étions attachés comme auparavant au canal de Nantes à Brest. Il me faut pourtant aller de l'avant, laisser la rivière à l'ouest et m'élever en direction de la Haute-Combraille jusqu'à la belle bourgade médiévale de Crocq, plus de quatre cents mètres au-dessus d'Aubusson. Nous sommes guidés dans notre approche du village par les deux tours orgueilleuses de l'ancien château qui le domine, élément au XIIe siècle du dispositif défensif de cette cité alors auvergnate face à la Marche et sur la route de Clermont à Limoges. Plus bas dans le bourg, la chapelle de la Visitation est surmontée, en guise de clocheton, d'une élégante lanterne des morts hexagonale provenant du cimetière. Son toit conique est couvert de petites pierres plates taillées aux formes géométriques, losanges, ellipses et rectangles. Après m'être extasié avec ma princesse de l'effet sous un grand soleil de ce sobre motif minéral, je fais un détour par la boutique du fleuriste car j'ai retenu que c'était aujourd'hui l'anniversaire d'Annie, la propriétaire de ma maison d'hôtes du jour installée dans une belle et vieille demeure de la basse ville. Je me présente de la sorte avec ma peluche, mon sac et mon bouquet de fleurs en main pour lancer à mon hôtesse un peu éberluée, aussitôt la porte ouverte, un sonore « Bon anniversaire, Annie », accompagné des bises d'usage. On peut le penser, la fin d'après-midi et la soirée sont des plus conviviales et joyeuses. Un couple d'amis allemands, des néoruraux amoureux, comme Annie et son mari Jean-Jacques, de leur terre d'adoption, sont invités au dîner d'anniversaire. Ils sont tous devenus de grands spécialistes de cette région frontalière entre la Creuse, la Corrèze et le Puy-de-Dôme, de son histoire et de ses ressorts plus modernes, ils sont pour moi une riche source d'informations.

Du Limousin à l'Auvergne, Millevaches et des gorges

Après Crocq, j'ai le plaisir, en continuant de m'élever sur le plateau de la Courtine, bordure est du plateau de Millevaches (mille « evatz », sources dans le patois d'oc local, le nom n'a rien à voir avec l'abondance des femelles du taureau !), de retrouver les bêtes cornues si importantes dans la mythologie de nos ancêtres. Il s'agit d'ailleurs surtout de bœufs blancs et de salers qui remplacent au sud de la Creuse et en Corrèze la limousine brune. Le plateau de Millevaches a une densité de population bien plus basse encore que la Creuse : quatre habitants au kilomètre carré. Les friches et les forêts de hêtres, hélas aussi maintenant de résineux, y dominent. Cependant, dans le pays de Crocq et sur le plateau de la Courtine qui précède le massif des Agriers, c'est-à-dire sur la frange orientale et septentrionale du parc naturel régional de Millevaches en Limousin, l'ambiance agricole est plus marquée que dans le nord et le centre Combraille, des troupeaux broutent, des coqs chantent, des cultivateurs s'affairent. À côté des prairies, des champs sont cultivés de céréales à paille et de maïs, des panneaux annoncent la vente de fromages de chèvre et de brebis. Cela est sûrement en rapport avec la qualité agronomique des sols mais reflète aussi un phénomène intéressant, l'arrivée depuis une vingtaine d'années de nouveaux exploitants, le plus souvent de sensibilité écologiste, qui fait un peu de cette partie du grand plateau limousin un nouveau Larzac.

Je ne peux guère éviter sur cette portion de mon parcours de suivre d'abord une route revêtue mais, après Flayat, m'enfonce dès que je le peux dans la forêt du massif des Agriers, plus au sud. Je me dirige un peu au jugé, à la boussole et à l'aide de la localisation GPS, décidément précieuse dans ces cas-là. Une fois encore, j'évite de trop m'égarer, même s'il m'arrive parfois de devoir rebrousser chemin lorsque des pistes forestières s'interrompent sans crier gare devant des taillis inextricables. Je tâche une fois de forcer le passage en m'engageant à quatre pattes dans un tunnel végétal ménagé au milieu des ronces, ventre à terre au sens premier du terme pour éviter que ma peluche dans mon dos ne s'égratigne. L'épaule me fait souffrir, la marche arrière m'est interdite. Je pousse un soupir de soulagement lorsque mon boyau épineux débouche sur une ancienne prairie en friche. Princesse mascotte et moi ressentons le besoin de nous remettre de nos émotions, nous nous restaurons et reposons un peu dans les bois près du sommet du massif, aux environs de neuf cents mètres d'altitude. Je parviens ensuite sans trop de difficultés autres que la longueur de l'étape à redescendre sur Lamazière-Haute, en Corrèze. Après un arrêt devant une sobre chapelle romane bâtie à l'aide de blocs de granit bicolores alternés, gris clair et marron, il ne me reste plus que quelques kilomètres pour parvenir à mon gîte, le domaine de La Vervialle. C'est une noble et grande demeure traditionnelle de trois niveaux, construite sur une terrasse qui fait face, au loin vers le levant, à l'imposant massif du Sancy dans le Puy-de-Dôme. Il sera durant les quatre jours suivants, bientôt avec les monts du Cantal plus au sud, l'ange gardien de ma grande traversée des plateaux d'Auvergne. Je suis accueilli par un groupe de nains de jardin disposés sur la grande pelouse du domaine. Ils tiennent une pancarte qui souhaite la « Bienvenue à Axel », ce qui met ma princesse en joie. Elle insiste pour se mêler à ses presque congénères, je les laisse ensemble toute la soirée. Pendant ce temps, Jan me fait l'honneur de sa demeure dans laquelle il est arrivé, de la région parisienne où il habite, il y a quelques jours seulement ; je suis son premier et seul pensionnaire. Jan est un radioamateur averti, la maison est truffée d'émetteurs-récepteurs et d'antennes. Il me parle de sa passion, m'initie aux propriétés étranges des ondes ultracourtes, c'est-à-dire de faible énergie, basses fréquences et longueurs d'onde élevées, qui se « cognent partout » et, comme des boules de billard qui rebondissent de bande en bande, peuvent de la sorte faire le tour de la Terre. Pour ce qui me concerne, il m'en faudra beaucoup, de l'énergie, afin que, loin de ricocher sur les montagnes que je rencontrerai maintenant sans discontinuer jusqu'à Menton, je sois capable de les franchir. Le handicap lié à ma luxation de l'épaule est modéré, au moins lorsque je marche sur mes deux jambes, les genoux « tiennent », même s'ils ne sont pas vraiment silencieux, le reste est excellent, ma peluche est pétulante, cela devrait aller.

Il le faut d'ailleurs, car mon équipée des jours suivants dans les gorges du Chavanon et de la Dordogne seront épiques. Quittant Jan, ses ondes, ses nains et La Vervialle, je dois suivre les ravins du ruisseau de la Barricade, puis du Chavanon dans lequel il se jette pour rejoindre enfin la Dordogne en amont de l'immense lac de retenue de Bort et, pour finir, le presbytère, aujourd'hui transformé en gîte, de l'ancien village de Port-Dieu englouti depuis la mise en eau du barrage en 1952. James, le gardien du gîte, m'a avisé d'emprunter le fond des gorges du Chavanon en suivant l'ancienne ligne de chemin de fer Eygurande-Bort-les-Orgues dont la portion terminale en fond de vallée est recouverte par le lac. Tout débute de manière idyllique sous un ciel sans nuages. Le temps clément a favorisé une merveilleuse éclosion florale. Je descends vers le fond des gorges entre des bouquets d'ancolies, des massifs d'arnica, de toutes jeunes et tendres scabieuses. Les premières tendent vers moi la touffe de leurs pourpres étamines, formant une ronde autour de carpelles jaune beurre au cœur de la corolle bleue légèrement violacée de pétales qu'entourent des sépales lancéolés de même couleur, terminées par un éperon jaune. Je chavire, l'éclat d'or des arnicas me ragaillardit. Le rose tendre des scabieuses, presque blanc au centre et de plus en plus foncé en périphérie, l'aspect de pelotes plantées d'épingles de leurs étamines claires m'émeut. Ma princesse elle aussi est sous le charme. Me voilà enfin au Chavanon, à la hauteur de l'ancienne gare de Savennes. Je suis la piste sur laquelle étaient posés les rails, jusqu'à un premier tunnel barré qu'il me faut contourner par une trace au plus près de la rivière. C'est une eau vive aux reflets d'argent, de saphir et d'émeraude coulant au fond d'un canyon abrupt profond de deux cent cinquante mètres. Selon les indications de James, je suis censé retrouver bientôt la piste. Tel n'est pas le cas, mon sentier se perd, disparaît, je progresse bientôt de rocher en rocher, je contourne des parois verticales soit par le haut, soit dans le lit même de la rivière en sautant de pierre en pierre. En fait, j'apprendrai plus tard que, tout occupé à bien placer mes pas, j'ai dû passer sans le voir sous ou au-dessus d'un ancien pont de chemin de fer qui, au sortir du tunnel, rejoignait la rive gauche du Chavanon. Je suis bientôt bloqué par des barres granitiques infranchissables, il me faut me tirer de là. Je ne le peux qu'en m'extrayant du ravin par des éboulis et des sentes improbables incroyablement pentues jusqu'à rejoindre vers midi une méchante piste qui mène aux bords du plateau, à la hauteur de Saint-Étienne-au-Clos. En sueur et assoiffé, je trouve refuge dans le petit bar du village où je déguste aussi mon pique-nique. Je ne m'avoue pas vaincu. Plutôt que suivre la route jusqu'à ma destination, j'emprunte un chemin repéré sur mes cartes, qui replonge droit dans le ravin et le quitte seulement pour remonter sur le plateau à Confolent-Port-Dieu, le village moderne reconstruit après la disparition de Port-Dieu sous les eaux. Les pentes sont là encore extrêmement raides. Je puis constater que, l'essoufflement et la sudation intenses mis à part, les grimper ne me pose guère de problème. Les descendre dans les pierres roulant sous mes pas est en revanche une épreuve pour les genoux dont la mauvaise humeur se réveille. Je sais ce qui m'attend. Le prieuré qui dominait le bourg aujourd'hui englouti et son presbytère où je me rends sont encore éloignés, j'arrive bien las au terme de mon étape. Comme souvent, la majesté du site où je parviens enfin efface mes fatigues comme par magie.

Le prieuré bâti sur un éperon qui domine le lac est une émouvante et simple chapelle romane du XIIᵉ siècle (chapelle des Manants), dans le style de celle vue la veille à Lamazière-Haute. Le soleil déclinant à l'ouest et filtré par le feuillage environnant dessine sur sa façade – clocher et porche – un damier de lumière. À côté du sanctuaire, le presbytère est une belle bâtisse de granit à deux niveaux où règne James, un travailleur manuel de la région parisienne qui a tout abandonné pour assouvir ici son amour de la nature et du sport. Outre l'accueil des pensionnaires du gîte, il exerce l'activité de guide touristique et organise des virées pédestres et des raids de quads dans la vallée de la Dordogne et la dense forêt qui entoure le lac. Chapelles, fontaines et autres ruines disséminées dans les bois autour du prieuré témoignent en ces lieux d'anciennes traditions cultuelles. Surmontant ma lassitude et mes articulations sensibles, je visite ces vestiges le soir tombant, admire le lac et la vallée de différents points de vue, puis attends près du prieuré avec Princesse mascotte que l'ombre gagne les eaux calmes, en atténue puis en éteigne les scintillements pendant qu'au couchant le ciel rougeoie et s'embrase. Les matins frais, les soirs de gloire, tels sont les trésors que recherche avec passion le marcheur et qui justifient ses efforts et ses peines. Je m'informe au dîner à la table d'hôte de mon trajet du lendemain car le prieuré est à l'extrémité d'une route unique qui y mène depuis Confolent-Port-Dieu d'où je viens. Elle s'arrête bien entendu au lac, le gîte est dans un cul-de-sac. Bort-les-Orgues où je compte me rendre le lendemain est déjà loin, l'étape sera fastidieuse et pénible s'il me faut commencer par refaire au matin le trajet qui m'a amené au presbytère. Quoique aucune carte ne l'indique, y aurait-il un itinéraire plus direct dans les bois qui couvrent le flanc de la vallée ? James me déconseille de m'aventurer sur le versant corrézien, à l'ouest. Il me signale en revanche que sur le flanc auvergnat, de l'autre côté du lac, je pourrai trouver des traces de passages utilisés par les pêcheurs et, au-delà, rejoindre d'authentiques chemins. Reste à trouver un canot pour effectuer la traversée. Cela n'est pas trop difficile car le lac est poissonneux et plusieurs habitants se livrent tôt le matin à leur passe-temps favori, James les connaît. Il prend rendez-vous pour sept heures trente avec l'un d'entre eux qui accepte de me servir de passeur du Limousin à l'Auvergne.

Le temps est resté radieux lorsque je débarque sur la rive auvergnate du lac, dans le département du Puy-de-Dôme. Je laisse avec regret derrière moi le prieuré sur son promontoire. À travers la trouée ménagée par les arbres au feuillage encore sombre en cette heure matinale, au-delà des eaux auxquelles les rayons tangentiels du soleil confèrent une tonalité bleu de France, la chapelle des Manants est déjà en pleine lumière dans un écrin de verdure vert pomme. Je tâche de noter toutes les nuances de ce tableau mais confie à mon appareil photo le soin d'en garder une trace objective. En escaladant le talus au-dessus du lac, je trouve la trace annoncée du passage de pêcheurs et la suit jusqu'à franchir le lit d'un ruisseau. Au-delà, j'ai plus de mal à trouver le chemin dont James a parlé. Je suis bientôt bloqué par un diverticule du lac, peut-être la confluence avec un cours d'eau qui s'y jette. Je marche à flanc de coteau, la forêt au-dessus de moi est épaisse entre des chaos rocheux peu accessibles, je ne distingue pas la moindre sente que je pourrais emprunter. Mon appareil GPS, décidément salvateur, m'indique que la seule voie notée sur les cartes se trouve sur le plateau deux cents à deux cent-cinquante mètres au-dessus de moi. Le seul accès pour y parvenir en évitant les obstacles rocheux est une combe profonde qui descend droit du plateau. Son sol est constitué d'un humus épais de débris végétaux décomposés et de feuilles mortes plus récentes parfois glissantes dans une pente extrême. L'ascension est pénible, éreintante même. Selon le terrain, j'enfonce jusqu'aux genoux à chaque pas, ou bien glisse sur le feuillage et ne peux alors progresser qu'en me servant de mes quatre membres. Parvenu enfin en sueur au sommet, je me repère et peux rejoindre le bord du lac plus au sud par une petite route, puis un bon chemin qui en contourne toutes les anses au plus près avant de remonter sur le plateau. Je le suis désormais vers Beaulieu dans le Cantal. Le lac sinueux serpente à ma droite au fond de la profonde vallée boisée, je croise d'intéressants calvaires dans la même pierre qu'en Bretagne mais plus sobres, je me régale malgré la fatigue qui déjà se fait sentir et en dépit des protestations des jointures bavardes. Je descends une dernière fois au bord de l'eau avant Bort-les-Orgues pour admirer le château de Val, du XVᵉ siècle. Avec ses murs clairs encastrés de pierres brunes, ses tours rondes à toits coniques surmontant des mâchicoulis, il a vraiment fière allure. Il l'a pourtant échappé belle, car il était initialement prévu qu'il serait recouvert par les eaux après la mise en fonctionnement du barrage de Bort et la famille qui l'habitait en fut expropriée. En fait, le niveau du lac fut réévalué à la baisse, inondant le parc mais laissant le château émergé. Je traverse en fin de compte le barrage pour revenir sur la rive corrézienne et descends jusqu'à la ville de Bort-les-Orgues pour m'apercevoir que ma maison d'hôtes du soir est en réalité située au-dessus de l'ouvrage, je suis passé tout à côté. Là, le courage me manque pour remonter, je téléphone à mon hôtesse en la priant de bien vouloir venir me chercher en voiture afin de m'épargner d'avoir à revenir sur mes pas. Ma soirée se déroule dans une coquette villa dominant la vallée, à peu de distance du barrage, ce qui me donne l'occasion de prendre congé de cette vallée de la Dordogne aujourd'hui inondée mais qui reste superbe. Au repas, et avant la retransmission d'un premier match de la coupe du monde de football à la télévision, le couple responsable du gîte me parle longuement de la situation depuis son inondation de la vallée de la Dordogne, à l'intersection de trois départements (presque quatre car la Creuse n'est pas loin).

Avant guerre, la région était un carrefour. Le train desservait Bort-les-Orgues depuis Bourges et, à partir de cette ville, des destinations secondaires. La vallée de la Dordogne et les ponts sur la rivière assuraient un passage aisé entre l'Auvergne et le Limousin. Aujourd'hui la liaison ferroviaire nord-sud et les trajets transversaux est-ouest sont interrompus, les Auvergnats de la rive droite de la Dordogne doivent faire un détour d'une cinquantaine de kilomètres pour se rendre, par exemple, à Ussel. Dans la ville de Bort-les-Orgues, la chapellerie et les filatures de soie et autres textiles ont comme partout disparu. La tannerie qui a fait les beaux jours de la cité jusque dans les années soixante est aujourd'hui des plus réduites. La population a diminué de presque moitié depuis cette date. Tout ne peut pas être imputé au barrage mais il paraît évident que l'isolement qu'il a entraîné y a contribué. Les emplois liés à EDF et au tourisme nautique sur le lac sont loin de compenser les méfaits économiques de l'interruption des communications par et à travers la vallée. Il serait sans doute intéressant de faire un bilan global du développement de l'énergie hydraulique en France, témoin d'une époque révolue.

Sur les hauts plateaux d'Auvergne, les vaches aux cornes-lyres

Je sors définitivement de la Corrèze et du Limousin peu après Bort-les-Orgues en me dirigeant plein est vers Condat, dans le Cantal. En me retournant, j'admire les fameuses orgues basaltiques qui dominent à plus de sept cents mètres Bort à l'ouest et qui lui valent son nom. La signification de cette belle rangée de tuyaux de lave refroidie est évidente, je suis entré dans le pays des volcans, je ne le quitterai maintenant qu'en descendant des plateaux de l'Ardèche sur la vallée du Rhône. Il ne me reste plus qu'à m'élever en pente douce jusqu'au haut plateau de l'Artense, puis du Cézallier, le massif du puy de Sancy à ma gauche (au nord) et les monts du Cantal, le puy Mary et le plomb du Cantal, à ma droite (au sud). Tous deux culminent à plus de mille huit cents mètres et sont encore décorés de quelques névés. Autour d'une altitude de mille mètres, je chemine dans un paysage d'alpages de moyenne montagne, riche de ses prairies grasses et pentues, de ses boqueteaux de hêtres et de frênes qui entourent parfois un étang, de ses ruisseaux qui, dans la pente, se transforment en torrents. L'année et la saison sont propices aux fleurs. Mon attention est attirée sur l'Artense par les campanules bleu violacé veinées de blanc et leurs pistils laiteux provocants, leurs sœurs jumelles blanches aux imposants pistils jaunes, de toutes jeunes raiponces en épis aux pétales en forme de tube d'un bleu persan, des touffes de délicats compagnons rouges, rose foncé, en fait, aux bords délicatement crénelés. Les affleurements granitiques et basaltiques achèvent d'imprimer à la campagne un cachet propre aux paysages du Massif central. La région regorge d'eau, retenues artificielles et lacs naturels, glaciaires et volcaniques. J'atteins bientôt les grands lacs de Lastioulles, de la Crégut et du Taurons auprès duquel je libère ma princesse et l'installe presque les sabots dans l'eau tandis que je rêve au soleil. C'est un de ces moments privilégiés où rien ne l'emporte sur le bien-être ressenti, où l'on a du mal à comprendre l'agitation trop souvent dérisoire des gens, où l'on oublie pour un instant les malheurs du monde et les difficultés du pays, où il n'existe nul endroit où l'on préférerait se trouver plutôt qu'à celui où l'on est. Je crois mon euphorie un peu béate partagée par ma peluche. Je passe ensuite à Montboudif, village de Georges Pompidou, alors qu'y sonnent les cloches pour un enterrement. L'atmosphère est propice à l'évocation de l'ancien président dont, hématologiste hospitalier à l'époque, j'ai pu suivre le combat contre la maladie qui devait l'emporter. Mon gîte du soir est tenu par Véronique, une Auvergnate épatante originaire d'une famille d'agriculteurs ; situé au-dessus de Condat à mille mètres d'altitude, il jouit d'une vue exceptionnelle. Le dîner est, comme souvent, l'occasion d'évoquer la région, son économie, sa cuisine, ses fromages, etc.

Après l'Artense et le Cantal, je bifurque légèrement vers le nord et me dirige vers Égliseneuve-d'Entraigues et le Cézallier pour faire étape à La Godivelle, l'une des plus hautes communes du Massif central, à mille deux cent quinze mètres, la moins peuplée du Puy-de-Dôme avec vingt-quatre habitants. Dans les prairies des hautes terres au sol labouré par les bovins et les alternances de gel et de dégel, plein de trous, d'ornières et de mottes de terre, la marche est malaisée et les chemins peu marqués. Les horizons de croupes herbeuses ou dénudées à perte de vue sont propices aux erreurs de parcours, raison pour laquelle j'avance prudemment, l'appareil GPS à la main. Le long d'une des rares haies de l'endroit, absorbé par la vérification de mon itinéraire, je ne vois pas une grosse branche à terre dans laquelle je bute. La chute rendue plus lourde encore par le poids du sac est brutale, j'encaisse le choc de face légèrement tourné vers la gauche, c'est-à-dire sur l'épaule droite. La douleur est cette fois beaucoup plus violente encore que lors de la luxation de la même articulation, une semaine auparavant, presque syncopale. Ma première hypothèse est que le col de l'humérus est cette fois fracturé, cela en serait alors fini de mon périple. Cependant, étant parvenu à m'asseoir et à me débarrasser du sac, je ne perçois aucune déformation du bras que je suis capable de mobiliser en l'empoignant de la main gauche. Rien de cassé, par conséquent, sans doute des lésions ligamentaires. J'en aurai la confirmation trois mois après lorsque la persistance des douleurs m'aura décidé à consulter et à faire pratiquer une échographie : rupture complète d'un important tendon de la coiffe des rotateurs, sans doute fragilisé par la luxation avant Crozant et rompu lors de la chute dans le Cézallier. Quoi qu'il en soit, ce nouvel incident n'est pas de nature à me faire renoncer, je reprends mes esprits, parviens difficilement à recharger mon sac, à empoigner mon bâton et, après avoir, bien sûr, vérifié que Princesse mascotte n'avait rien, me voilà reparti. Arrivé à la hauteur du superbe « lac d'En-haut » de La Godivelle, blotti dans le cratère d'un ancien volcan, j'en admire la surface bleu turquoise au sein de l'immensité herbeuse. Je glisse alors sur de minuscules gravillons qui couvrent la berge et m'étale à nouveau. C'est le genou gauche qui porte, cette fois. Les égratignures sont légères, la gêne limitée mais le moral est maintenant atteint. À ce rythme, pensé-je, je n'arriverai jamais au terme de mon voyage, il cessera avant la seconde mer ! L'allégresse du chemin que j'ai vantée tant de fois depuis le début de mes longues traversées du pays en mai 2013 m'a, cet après-midi-là, abandonné. Je gagne le gîte-auberge des Sâgnes en boitant un peu, l'épaule constamment douloureuse, la tête basse. La douche débarrasse mon corps des traces de terre et de sang mais a du mal à éliminer mes soucis. Je parviens à faire ma petite lessive quotidienne en me servant presque exclusivement de la main gauche, j'installe ma princesse sur la commode et je m'allonge, pensif. Ma délicieuse pouliche me regarde, toujours souriante. Je crois comprendre qu'elle me fait honte de ma faiblesse, qu'elle me signifie : « Voyons, Axel, tu es moi, je suis toi, regarde-moi, regarde-toi, ne suis-je pas toujours jeune et pleine d'allant, ne me laisse pas, ne te laisse pas ! » Je souris moi aussi, à présent, je me lève, commande une gentiane au bar et ressors avant la nuit pour visiter le village. Il en vaut vraiment la peine avec son immense fontaine au centre de la modeste place située devant la petite église romane dont le chevet est décoré, à l'extérieur, de figures singulières, peut-être une représentation des sept péchés capitaux. Mme le nouveau maire de cette petite commune est fière de me la faire visiter. Le soir, la remarquable cuisine auvergnate de Catherine, ma sympathique hôtesse, ses informations sur le minuscule bourg, sa vie et ses traditions, les fleurs des montagnes environnantes, complètent la psychothérapie de Princesse mascotte. Je m'endors sous son regard ironique mais complice et parviens, malgré mon épaule endolorie, à goûter un sommeil réparateur.

Le temps est à la pluie, au vent et à la grande fraîcheur à cette altitude lorsque je me mets en route pour Blesle et la Haute-Loire, emmitouflé et protégé en conséquence. Après avoir laissé derrière moi le lac glaciaire d'En-Bas, dans la brume ce matin, je passe par-dessus une première clôture à l'aide d'une échelle de bois aménagée – c'est ainsi que procèdent les randonneurs sur ces hauts plateaux – et me trouve tout de suite au milieu d'un troupeau de vaches salers. Ce sont des animaux mythiques du Massif central, je les côtoie depuis longtemps déjà, de manière exclusive depuis que je me trouve en Auvergne, je m'en suis épris. Certes, je ne renie pas mon affection pour leurs sœurs aubracs, les compagnes de ma diagonale de 2013 lorsque j'ai traversé les plateaux de la Lozère et de l'Aveyron ; leurs beaux yeux fardés continuent de m'émouvoir. Cependant, il faut l'admettre, la salers a bien des atouts. Le premier est la flamboyance de sa robe brun-rouge, parfois rousse, qui lui donne l'aspect d'un fruit gigantesque, ou bien d'un champignon monstrueux parsemant l'immensité verte des plateaux. Son argument décisif pour faire chavirer les cœurs reste cependant ses gigantesques cornes aux extrémités effilées et plus foncées que le reste de l'ornement, largement écartées sur la tête de l'animal, élégamment courbées en forme de lyre. Lorsque je m'approche de quelques mètres seulement de certaines d'entre elles, d'entre eux aussi car il y a de beaux taureaux fort impressionnants mais bien plus placides que leurs congénères aubracs, animaux volontiers allongés à cette heure, le désir me saisit de pincer les cordes célestes que j'imagine et crois distinguer entre leurs cornes. Je jouerais bien un air pour charmer ma princesse, et ma princesse, elle aimera ça, pour paraphraser Jacques Brel. La réalité de mes piètres dons musicaux m'en dissuade mais je rêve d'un concert que donneraient de cette façon des nymphes, des fées ou d'autres génies habiles, sans doute nombreux à hanter la nuit ces hautes terres qui s'élèvent au ciel mais restent reliées aux profondeurs qui ont vomi là des flots de lave il n'y a pas si longtemps.

Peut-être est-ce là l'origine de la petite musique qui n'a cessé de m'accompagner et de m'enchanter tout au long de ces longues et belles étapes à travers ces paysages immenses de mamelons, dépressions, lacs, cirques, burons et pâtures entre mille et plus de mille cinq cents mètres dans les monts du Cézallier. Le climat est ici rude et, je l'ai dit, la plus grande fraîcheur y règne ce matin, avivée par un fort vent de nord-est qui pousse devant lui des nuages gris et des bancs de brume. Loin d'atténuer la féerie du spectacle, cela l'accroît plutôt en le rendant plus mobile, plus changeant, en créant d'infinies variations de luminosité et de couleurs sur le lac de Saint-Alyre, en balayant la campagne d'un pinceau de lumière éclatante lorsque le soleil s'insinue par une faille des nuages, une déchirure de la brume. L'œil ne sait où porter, sollicité par les haillons du ciel, par les paysages somptueux dont ces derniers font varier les gammes, ou par le miracle d'une floraison insensée. Je marche en particulier sur une pelouse parsemée de centaines d'orchidées sauvages (orchis tachetés) d'une stupéfiante variété de bleus, du plus

153

pâle au plus profond, toutes artistiquement zébrées et tachetées de touches et de lignes mauve-violet. Autour de mille trois cents mètres, sur les pentes du signal du Luguet, ces cadeaux précieux de dame Nature sont si nombreux, plus que j'en ai jamais vu auparavant toute ma vie durant, qu'ils donnent le vertige au marcheur attentif à ne pas fouler aux pieds leur fragile splendeur. Je suis à peine remis de l'extase, partagée bien sûr par ma mascotte, dans laquelle m'ont plongé ces innombrables orchidées aux coloris inouïs, que, au détour d'un chemin après le hameau de Parrot, je tombe en arrêt devant la douce harmonie émeraude du cirque glaciaire d'Artout, à mes pieds. Ces journées sur les hautes terres du Cantal et du Puy-de-Dôme furent rudes, longues, enchaînant les dénivelés, le parcours se révéla difficile à repérer au milieu des prairies immenses, le sol malaisé, cabossé, traître pour les chevilles. Là faillit s'achever ma route après une chute cruelle. Il me fallut passer par-dessus maintes clôtures malgré mon épaule endolorie. Pourtant ces étapes se révélèrent aussi enchantées de part en part et resteront gravées dans ma mémoire déjà riche de randonneur à la recherche obstinée de ces paysages et de ces sensations.

Toi, l'Auvergnat

Il ne faut pas croire que les hauts plateaux de l'Auvergne soient des zones désertiques, vierges de toute activité humaine. En réalité, les signes d'activité

154

agricole sont omniprésents. La densité de bovins y est grande, surtout des salers mais aussi, plus au sud, des aubracs qu'y amènent notamment des propriétaires de l'Aveyron. Le système de clôtures bien entretenues n'épargne pas même les sommets à moins qu'ils ne soient occupés par de petites et rares forêts. Vers mille mètres, des foins sont coupés, les balles rondes parsèment les champs. En descendant encore un peu, les céréales apparaissent, en particulier des seigles dans le Cézallier. Rien de comparable par conséquent avec la situation décrite dans la Creuse ; ces terres sont hautes, elles ne sont pas pauvres. D'ailleurs, aujourd'hui, elles font l'objet d'une certaine spéculation, leur prix en altitude peut atteindre et dépasser les cinq mille euros l'hectare. En définitive, cette partie de l'Auvergne, confrontée comme ailleurs à la baisse de la population, ne montre en revanche aucun signe de déprise agricole conséquente. Outre le succès de ses races à viande, salers et aubrac, la région conserve à des altitudes inférieures une importante activité laitière et fromagère avec ses quatre appellations contrôlées, saint-nectaire, fourme d'Ambert, bleu d'Auvergne et cantal décliné en laguiole, salers, etc. L'habitat humain n'a pas déserté les hautes terres où persistent de pittoresques villages de quelques dizaines d'habitants à plus de mille deux cents mètres d'altitude, La Godivelle, Brion, Parrot, etc. Me voilà maintenant parvenu presque au-dessus de la vallée de l'Allier et de sa Limagne, au « pays coupé » de Blesle. Il ne me reste plus, en principe, qu'à m'y laisser glisser.

Avant mon départ, Jean-Paul, un excellent collègue généticien, chercheur à l'Institut national de la recherche agronomique, m'a contacté. Ce grand spécialiste du clonage des bovins est auvergnat, originaire de Blesle où il a pris sa retraite. Il a appris ma venue par Jeanine, la propriétaire de la maison d'hôtes réservée et tient absolument à me faire les honneurs de son pays et de sa cité. Il vient à ma rencontre peu après le village d'Anzat, sac au dos et chaussures de randonnée aux pieds, et me sert tout l'après-midi de guide, jusqu'à Blesle. Il m'a concocté un programme complet qui nous mène d'abord à travers champs et clôtures, cette fois non équipées d'échelles, au sommet du mont Fouat, le point culminant de la région à mille trente-quatre mètres d'altitude. La vue porte du Cézallier à l'ouest jusqu'à la vallée de l'Allier et, au-delà, les monts du Livradois à l'est et au Cantal au sud. Les croupes des plateaux du Puy-de-Dôme et du Cantal s'abaissent vers l'Allier et ses affluents dont les vallées semblent brutalement interrompues par ces masses volcaniques, d'où le nom de « pays coupé » donné parfois à ce type de territoire situé entre monts ou plateaux et plaine alluvionnaire. Rendez-vous a été pris ensuite avec divers agriculteurs dont les exploitations de polyculture et de vaches laitières s'échelonnent sur les collines qui s'abaissent vers la vallée de Blesle. Nous atteignons le bourg en toute fin après-midi après un arrêt à la maison forte d'Autrac, sobre mais pure gentilhommière acquise et rénovée par mon ami. Typique de la Haute-Loire, elle a une fière allure avec ses murs où des roches volcaniques de teintes allant du gris foncé au brun et au bleuté ressortent sur un crépi crème. Autant mes articulations aiment les montées, autant leur mauvais caractère se réveille dans les longues descentes, de près de mille quatre cents mètres aujourd'hui. Bien entendu, je ne laisse rien paraître à Jean-Paul de mes soucis physiques et me prête d'un pas alerte au surcroît de distance qu'il impose à une étape déjà longue. Blesle est une jolie cité dont j'embrasse d'abord, depuis un promontoire qui la domine, l'harmonie d'ensemble dans le style décrit pour la maison forte d'Autrac. Une imposante tour carrée défie le clocher Saint-Martin de l'ancienne abbatiale Saint-Pierre situé à proximité immédiate, souvenir de la rivalité entre l'abbesse, seigneur de la ville jusqu'au XIᵉ siècle, et les puissants seigneurs de Mercœur qui s'y installent à cette époque. Autour, des maisons médiévales tardives à pans de bois achèvent de conférer son caractère à la bourgade construite à la confluence de deux affluents de l'Alagnon, lui-même un affluent de l'Allier. En cheminant ensuite par les ruelles étroites et pavées vers ma maison d'hôtes, Jean-Paul attire mon attention sur des bas-reliefs d'ancres de marine qui décorent l'embrasure de plusieurs portes. C'est que Blesle a la particularité d'avoir donné au pays maints officiers de cette arme dans laquelle se sont engagés des nobliaux du cru. Pauvres, ils devaient quitter le terroir hérité par les aînés. Il fallait cependant pour rejoindre l'armée de terre y venir avec un équipement onéreux, des chevaux surtout, alors qu'on pouvait rejoindre la marine muni de sa seule épée. Les lieux conservent aussi le souvenir du marquis de Lafayette dont la seigneurie est proche (château de Chavaniac) et qui, enfant, aurait passé un certain temps à Blesle.

Une fois arrivé à mon logis du soir, je n'ai pas une minute à perdre car mon hôtesse Jeanine et mon ami ont prévu un véritable banquet en compagnie de personnalités éminentes de la cité. La conversation animée porte comme partout sur la désindustrialisation du pays, aujourd'hui essentiellement agricole. Blesle qui comptait mille six cents habitants à la fin du XIXe siècle n'en a plus que six cent vingt. La réforme territoriale est évoquée elle aussi, de manière apaisée car les Auvergnats sont plutôt satisfaits d'être associés aux citoyens de Rhône-Alpes, région riche limitrophe depuis la Loire jusqu'à l'Ardèche. En revanche, les questions écologiques sont abordées avec plus de véhémence. C'est ici celle des éoliennes qui fait débat. Il n'existe pour l'instant que relativement peu de parcs d'éoliennes en Auvergne. On se rappelle que l'ancien président de la République Valéry Giscard d'Estaing y était (et y est sans doute toujours) hostile. De plus, chaque projet voit se constituer des associations actives d'opposants qui considèrent devoir se mobiliser contre une dénaturation dramatique de paysages remarquables par ces gigantesques et relativement bruyants engins qui atteignent aujourd'hui jusqu'à cent cinquante mètres de haut. Ce sont surtout ces opposants que j'ai entendus en Haute-Loire. Certains de leurs arguments sont connus de tous car nullement spécifiques à la région. On questionne la logique économique d'une source d'énergie éminemment intermittente, doute que les approches de stockage hydraulique ou par batteries de cette énergie soient au point ; on se déclare sceptique quant au caractère rapidement opérationnel de la connexion informatique entre tous les parcs de production pour basculer automatiquement sur ceux disposant du vent. Je ne dispose quant à moi pas des informations nécessaires pour prendre parti dans ce débat. En revanche, d'autres critiques m'apparaissent plus faciles à corroborer : il s'agit de l'esprit de corruption que suscite la convoitise de certains agriculteurs pour le pactole (de l'ordre, je crois, de cinq à dix milliers d'euros par an) lié à l'installation de machines sur leurs terres. On m'a cité des délibérations de conseils municipaux se soldant par des attributions au maire ou aux siens, de connivences singulières entre des syndicats d'exploitants agricoles et les opérateurs, etc. Une autre question non résolue est celle de la durée de vie des machines (de l'ordre de vingt ans) et du coût du démantèlement. Dans l'état actuel des choses, il devrait incomber pour l'essentiel au propriétaire de l'installation, mais les décrets d'application restent en attente.

J'ai bien sûr emprunté le titre de ce paragraphe, « Toi, l'Auvergnat », à Georges Brassens dont la chanson fameuse me trotta souvent dans la tête durant ma grande traversée de l'Auvergne. Il semble qu'après une série de déboires relationnels, le chanteur ait eu à se féliciter de la spontanéité et de la générosité d'un Auvergnat qu'il remercia en lui dédiant sa chanson. Certes, on ne doit jamais généraliser mais ces traits relevés par Georges Brassens sont-ils, à travers mon expérience, en effet répandus chez les habitants de la région ? Sans doute, et d'ailleurs plusieurs épisodes relatés l'an dernier et repris dans *Pensées en chemin* mettent en scène des Auvergnats conviviaux et généreux (par exemple, le don de toute sa récolte de cerises par le cueilleur de Retournac, l'accueil princier des personnes désireuses d'échanger avec moi, puis de moi-même, à Monistrol-d'Allier, etc.). Cette année, j'ai rencontré des gens formidables aux étapes de Condat, La Godivelle, Blesle et cela restera vrai à Brioude et ensuite. Je me distinguerai pourtant de Brassens en soulignant que de tels comportements ne fleurissent pas seulement dans le centre de la France. La générosité et le mouvement vers les autres peuvent se rencontrer partout, de même, hélas, que la méfiance et l'égoïsme. Ce qui distingue plus les usages des habitants des différentes régions, c'est le type des premiers rapports avec les étrangers, surtout s'ils sont des « chemineaux », des sortes de vagabonds dans mon genre. L'abord est souvent au départ réservé dans le Nord et dans l'Est, circonspect en Bretagne, bourru en Auvergne, plus exubérant dans le Sud. Cette prise de contact ne préjuge cependant en rien de la disponibilité à l'autre et je n'ai cette année que des raisons de me féliciter de l'accueil reçu, souvent touchant et riche, jamais indifférent ou hostile. Pourtant, peut-être existe-t-il une énergie singulière qui se dégage des terres centrales de la Corrèze à l'Auvergne ? Elles ont en tout cas donné quatre des six présidents de la Ve République, originaires de – ou implantés dans – ces terres si peu peuplées.

De l'Allier aux monts du Livradois
et au pays des sucs

Je parviens à me faufiler après Blesle par un chemin au bord de la rivière la Voireuse jusqu'à la vallée
de l'Alagnon puis, après l'avoir traversée, à trouver un
chemin de terre qui, alternativement forestier et agricole, me mène à travers la riche Limagne de l'Allier
jusqu'à Brioude où j'arrive largement à temps pour y
déjeuner. J'ai tout l'après-midi pour visiter la capitale
du haut Allier, avant tout la basilique Saint-Julien,
un authentique chef-d'œuvre du roman auvergnat
dont le début de la construction remonte à la fin du
IXe siècle. J'ai déjà fait plusieurs voyages consacrés aux
édifices religieux d'Auvergne mais n'étais jamais venu
à Brioude dont la basilique n'est souvent, de façon
très injuste, pas citée parmi les fleurons des sanc-
tuaires d'Auvergne. Le pavement d'origine en galets
noirs et blancs de l'Allier et la marqueterie de pierres
polychromes utilisant des grés rouges et gris clair, des
basaltes et du marbre confèrent à l'édifice, à l'extérieur
aussi bien qu'à l'intérieur, un aspect polychrome qui
tranche peut-être avec le dépouillement austère que
l'on attend en général du roman mais contribue à faire
de ce monument une merveille. La lumière qui pénètre
dans le sanctuaire à travers les vitraux modernes du
dominicain Kim En Joong en magnifie les coloris et
leur apporte une tonalité chaude. La basilique abrite
de plus des chefs-d'œuvre sculptés dont je retiens la
plénitude confiante de *La Vierge parturiente*, la majesté

de *La Vierge du Chariol* en pierre de lave et l'éprouvante image du *Christ lépreux* en croix. Des fresques du XIIIe siècle au style un peu byzantin ont été dégagées et restaurées dans la chapelle Saint-Michel, elles apparaissent dans un remarquable état de conservation. J'ai noté l'éclat du fond bleu outremer sur lequel se détachent les bienheureux et une étonnante représentation de deux démons à têtes et pieds d'oiseaux de proie qui se partagent un damné. Avec son clocher carré, son clocheton hexagonal aujourd'hui recouvert de tuiles lambrissées, Saint-Julien de Brioude figure sans conteste pour moi, avec la ville de Richelieu, au hit-parade de la beauté monumentale de ma diagonale entre deux mers.

Comblé d'impressions et d'émotions, je regagne en fin d'après-midi l'hôtel de la Poste ou s'affaire toute une famille sous la supervision vigilante de l'aïeul attentif à la satisfaction maximale des clients. Cet homme d'âge mais l'œil vif et perçant, en mouvement perpétuel, courbé en deux, sans doute par une spondylarthropathie, est une personnalité dans toute la région. Il veille lui-même à ce que mon verre ne soit jamais vide et s'inquiète, quand l'assiette l'est, de ce que j'ai pu n'avoir pas à satiété des plats et produits du terroir qu'on y avait déposés, n'hésitant pas à remédier lui-même à ce qu'il considérerait alors comme un déshonneur. Je suis de la sorte mis en excellente condition pour la rude étape qui, au prix d'un crochet par le nord, me conduira demain vers La Chaise-Dieu. Cette célèbre abbaye gothique du XIVe siècle est perchée à mille quatre vingts mètres d'altitude à l'extrême sud des monts du Livradois et à l'est de la vallée de l'Allier. La route la plus directe y mène en trente-six kilomètres, dont vingt de montée ininterrompue. Il n'est bien entendu pas question que je l'emprunte tout du long. Je repère des chemins qui me permettent de récupérer à Saint-Didier-sur-Doulon un itinéraire balisé dit « Robe de bure et cotte de maille ». Je le suis dans son parcours escarpé à travers la partie méridionale des monts du Livradois, longe de petites orgues basaltiques et parviens à de beaux points de vue sur le Cézallier et le Cantal où je cheminais encore deux jours auparavant. Ils se perdent pourtant déjà dans le lointain et je crois entendre ma princesse qui se moque gentiment de moi dans mon dos. « Là-bas, tu clopinais tête basse et pensais à interrompre notre cheminement amoureux. Te voilà en ce jour bien fringant, il faut toujours écouter en soi la voix de la joie et de l'espoir, je suis cette voix, écoute-moi ! » Après de rudes montées dans la ligne de pente, je progresse à environ mille cent soixante mètres d'altitude sur une large croupe sommitale avant de redescendre sur un plateau en contrebas de La Chaise-Dieu et d'atteindre finalement l'abbaye par un beau chemin ascendant qui permet d'admirer tout son saoul et de loin l'imposante façade de l'abbaye entourée de ses deux tours. À l'arrivée, j'aurai parcouru trente-neuf kilomètres et le dénivelé cumulé atteindra mille quatre cents mètres. Pourtant, je ne suis pas épuisé, la carcasse est docile. Les trajets ascendants ne me posent guère de problèmes à part la conscience qu'il me faudra les redescendre et que, là, mes articulations risquent de se montrer moins complaisantes. Je me dépêche pour visiter à nouveau le monument et la ville où je suis déjà venu de nombreuses fois. Le soleil déclinant dans l'axe de l'escalier monumental qui mène au portail met en valeur le sanctuaire et son cloître, pénètre à l'intérieur de l'édifice par les larges ouvertures gothiques, illumine le jubé et les hautes voûtes, ses rayons lèchent la célèbre fresque de la danse macabre à l'extérieur du chœur. Princesse mascotte avait raison, comme toujours, sans elle je n'aurais pas connu, après l'effort, la félicité d'une contemplation solitaire de ce lieu mythique nimbé ce soir de la lumière du couchant.

En ce 21 juin, solstice d'été et fête de la musique, je dois me rendre à Allègre, distante d'environ vingt kilomètres seulement, plein sud sur le plateau du Velay. Il s'agit là presque d'une étape de repos passant par des chemins qui demeurent à niveau autour de mille mètres. De plus, en principe, les traces de l'itinéraire « Robe de bure et cotte de maille » m'y conduisent. Ma gentille compagne et moi nous mettons de ce fait en chemin le cœur léger et le nez au vent, bien décidés à prendre du bon temps dans une campagne ensoleillée aux doux reliefs. Tout motif est bon pour faire une petite halte, humer l'air des foins coupés sur le plateau, admirer les fleurettes, prendre la mascotte en photo, guetter les premiers mamelons évoquant des sucs. Le lac de Malaguet au-dessus duquel nous passons nous enchante, serti dans une demi-lune de pins sombres à l'arrière. Nous le contemplons depuis la pente douce d'une prairie vert tendre parsemée de pâquerettes. La surface immobile de l'eau est ce matin d'un bleu azur auquel l'ombre portée des grands arbres ajoute des traînées marines. Je me sens en communion avec ma petite compagne. Le danger de cette réunification de notre personnalité dédoublée en celle de la seule peluche est que cette dernière est notoirement fantasque et insouciante. Je me perds et réussis l'exploit d'imprimer à mon itinéraire l'allure d'un cercle presque parfait tel que, au bout de quatre kilomètres, je me retrouve exactement à mon point de départ. Il n'y a plus de temps à perdre, j'ai réservé pour déjeuner dans un petit restaurant d'Allègre, j'ai grand faim. Je réintègre mon moi-même et cantonne ma pouliche à son univers onirique, je hâte le pas en direction des deux proéminences qui me font face au sud, le suc d'Allègre et le mont Bar. Côte à côte, ils évoquent la belle poitrine d'une femme nue allongée sur le plateau, cette image décuple mon appétit. J'arrive à temps pour déjeuner en compagnie d'une fort joyeuse et exubérante amicale locale, chasseurs, pompiers ou joueurs de pétanque, je ne sais trop. La cité fortifiée d'Allègre, bâtie à flanc de coteau, est dominée par les ruines de la poterne de l'ancien château au sommet du suc éponyme. De là, mon regard embrasse tout le plateau que je connais si bien depuis ma diagonale de 2013. Face à moi, de l'autre côté de la vallée de la Loire, les massifs du Meygal et du Mézenc sont impressionnants, il me faudra les franchir. Contrairement à Retournac, tout près d'ici, où je me trouvais à la même date l'an dernier, il n'y a pas d'orchestre, le soir, le sommeil est paisible.

La croisée des chemins

Le temps reste au beau fixe lorsque je quitte Allègre pour une traversée du plateau du Velay en direction de l'est. Je commence la journée par l'ascension du mont Bar, un ancien volcan dont le cratère circulaire entouré de bois est occupé par une sorte de tourbière. J'y descends puis le quitte sans demander mon reste car tous les moustiques de la Haute-Loire semblent s'y être réunis pour un sabbat de solstice d'été. Furieux d'être troublés dans leurs incantations entêtantes, ils attaquent en escadrilles et en piqué, par vagues successives. Princesse mascotte fait front, moi moins, je m'enfuis aussi vite que j'en suis capable, dévalant à toutes jambes les pentes du volcan pour regagner le plateau. Les bestioles rancunières ne me lâchent pas avant de m'avoir couvert de piqûres qui se transforment en un instant en autant de papules prurigineuses. La suite de ma route vers Saint-Geneys-près-Saint-Paulien est plus paisible, dénuée de toute difficulté. Je retrouve ensuite le chemin que j'avais emprunté en 2013 durant une « journée de repos » mise à profit pour visiter Saint-Paulien et son église. Il ne me reste plus qu'à descendre du plateau sur l'Emblavez par un chemin qui me fait me souvenir que j'ai des genoux, puis, après une brève montée, à rejoindre le hameau. J'avais déjà, les 22 et 23 juin 2013, fait halte dans ce bourg accroché, comme Allègre, aux flancs de son suc entre le bassin d'effondrement de l'Emblavez et la vallée de la Loire, à une trentaine de kilomètres au nord du Puy-en-Velay. Le choix délibéré de Ceneuil comme étape à la croisée des chemins tient certes à ce que la Haute-Loire est un endroit logique pour que se rencontrent mes itinéraires de 2013 et 2014 mais aussi à ce que c'est un endroit magique. Il combine l'essentiel des paysages de la Haute-Loire. Du sommet du suc, le panorama est splendide. Au nord, on voit la Loire s'engager dans ses gorges escarpées bordées à l'est de sucs aux sommets arrondis en demi-oranges comme posées là par une paysagiste inspirée utilisant les feux de la terre pour parfaire son œuvre. Au sud-est, au-delà de la Loire et d'une petite plaine, le terrain s'élève vers les grands massifs frontières entre l'Auvergne et le Vivarais, le Meygal puis le Mézenc. Leurs fières silhouettes se découpent à la perfection, prolongées sur leurs côtés par un chapelet de demi-lunes disposées par paires comme à Allègre, en demi-anneaux entrelacés ou en ponctuation d'une phrase qui dit la beauté du monde. Le regard devine la cuvette du Puy au sud de nouvelles gorges du fleuve. À l'ouest, au-delà de l'or des foins et des blés coupés, le rebord du plateau du Velay s'élève jusqu'aux monts du Devès.

Cependant, Ceneuil n'a bien sûr pas le privilège des paysages somptueux, j'en ai décrit ailleurs dans tout le pays. Il convient par conséquent d'ajouter à l'attrait qu'a pour moi ce hameau le charme incroyable de la maison d'hôtes qui m'accueille, les « Pierres bleues », installée dans une bâtisse vellave typique aux murs en pierre volcanique – en particulier en basalte bleuté qui ont donné son nom au logis – serties dans un mortier grège. Annie et Jean-Pierre, lui du pays et elle

167

d'origine allemande parlant notre langue sans aucune pointe d'accent, l'ont aménagée avec un sens exquis du confort, de l'élégance et de l'authenticité. Leur installation en ces lieux, il y a un peu moins de dix ans, correspond, comme je l'ai observé déjà plusieurs fois depuis que je sillonne la France en faisant étape chaque fois que possible dans des chambres d'hôtes, à un choix de vie du couple. Tous deux privilégient le travail en commun, la beauté et la sérénité de l'endroit, ainsi que la richesse des rencontres et des échanges humains. Annie et Jean-Pierre sont attachés à perpétuer les traditions locales, ils herborisent pour confectionner leurs tisanes, fabriquent des confitures variées et inventives, préparent de la liqueur à la verveine, du vin de sureau et divers autres breuvages aussi succulents les uns que les autres. Il y a une vraie générosité dans la manière dont tous deux « traitent » leurs hôtes, dans leur compétence pour parler de la région, conseiller sur les itinéraires et sur les monuments et points de vue remarquables à ne pas manquer.

Cette année, un Ponot (habitant du Puy) que j'avais rencontré dans cette ville l'an dernier désirait convier des habitants intéressés à m'entendre et à échanger avec moi à l'occasion de mon nouveau passage en Haute-Loire. Je lui proposai d'organiser l'événement aux Pierres bleues, assuré de la qualité de la réception par Annie et Jean-Pierre. Aussi, l'étape depuis Allègre achevée et la douche prise, je rencontre durant plus de deux heures une quarantaine de personnes venues du Puy pour un apéritif-conférence-débat en plein air, des plus bucoliques et chaleureux. Étaient présents des notabilités, dont le président sortant du conseil général, aussi bien que des professionnels divers pour une de ces rencontres devenues des piliers de mon cheminement amoureux au sein du pays. Contrairement à l'an passé, j'utilise assez banalement ma troisième et avant-dernière journée de repos à... me reposer : je me fais conduire dans la matinée en voiture au Puy pour retrouver la basilique Saint-Michel d'Aiguilhes qui m'avait tant charmé et revoir certains détails de la complexe et riche basilique-cathédrale Notre-Dame. L'après-midi se passe autour des Pierres bleues en compagnie de ma princesse, à arpenter à pas menus les sentiers environnants et à rêvasser dans l'herbe. Il n'est cependant pas question pour moi de m'endormir dans les délices de l'endroit car je repasse le lendemain aux choses physiquement sérieuses. Je me dirige en effet vers le pied du Mézenc par une très longue et ascendante approche, avant de traverser les monts de l'Ardèche et de descendre ensuite sur la vallée du Rhône. Je me suis muni, pour les épreuves qui m'attendent, de chaussures neuves qui, je l'avoue, sont du type des souliers complaisants dont j'ai dit tant de mal en 2013 mais qui se révèlent si confortables aux pieds du marcheur. Ce dernier est en effet peu enclin à reprendre son combat avec les « fières allemandes » que je m'étais pourtant mis à aimer malgré les dures souffrances qu'elles m'avaient imposées. Après mille trois cent quarante kilomètres et dix-neuf mille sept cent quarante-sept mètres de dénivelé ascensionnel cumulé, j'entamerai alors le dernier tiers de mon parcours, ce ne sera pas le plus facile. L'épaule peu valide, les genoux en permanence au bord de la sécession, je suis hanté par la perspective d'une nouvelle chute sur des terrains qui seront jusqu'à l'arrivée de plus en plus difficiles. Cependant, je ne suis plus seul pour affronter les difficultés, ma princesse impose de plus en plus l'évidence de sa présence et de sa participation active à l'aventure, je peux compter sur elle, c'est-à-dire sur moi. Ni la détermination ni l'optimisme ne nous me manquent.

Ceux du Mézenc

Un sentier me conduit en descendant le flanc est du suc de Ceneuil jusqu'à la Loire que je franchis une seconde fois après Ancenis, cette fois sur le pont de Cheyrac entre les deux gorges du fleuve, vers Chamalières-sur-Loire au nord et Le Puy au sud. Après une première marche d'approche vers le sud-est dans une portion plane de la vallée ici très large, j'entreprends une longue ascension régulière par de bons chemins de campagne qui me font passer au milieu de sucs aux pentes cultivées en céréales et prairies dans lesquelles les foins sont juste fauchés. Je passe par des villages de plus en plus élevés : Beaulieu, Malrevers, Saint-Étienne-Lardeyrol, Saint-Pierre-Eynac, Saint-Julien-Chapteuil où je fais une visite à la belle église romane du XIIᵉ siècle, pour parvenir enfin à La Pradette-Haute au-delà de mille mètres. De là, j'ai une vision dégagée au nord-est sur le massif du Meygal et ses sommets arrondis et clairs zébrés de lignes forestières :

la Tortue, le Mounier et le Tetavoyre à mille quatre cent trente-six mètres. Les kilomètres s'ajoutent aux kilomètres, la route est longue mais je la parcours avec aisance. Je suis devenu un grand avaleur de distances, contredisant sans peine mes interlocuteurs des Pierres bleues qui ne croyaient pas possible que je parvienne aujourd'hui au terme de l'étape que je m'étais fixé. Je suis, à La Pradette, proche du hameau de Bigorre où je me rends mais, entre les deux, coule la Gagne au fond de profondes gorges qu'il me faut passer. Catherine, mon hôtesse du soir, m'a donné par téléphone des indications sur un chemin qui rejoint le torrent, le franchit sur un petit pont et remonte sur l'autre rive jusqu'à Bigorre, à environ onze cents mètres d'altitude. Je me débrouille assez bien, repère l'itinéraire et, au terme d'une rude descente suivie d'une non moins rude montée, débouche sur le ravissant hameau d'une quinzaine de foyers où je fais étape. C'est l'un des derniers exemples préservés de l'habitat typique des hauts plateaux du massif du Mézenc, avec ses demeures trapues aux murs constitués de roches volcaniques multicolores apparentes, plus claires que dans le Velay, scellées par un mortier crème ou grège. Les toits très pentus sont ceux des régions de montagne où la neige est abondante, ils sont ici couverts de chaume, parfois de lauze.

Je suis attendu à L'Herminette, mon gîte, par Catherine que, par hasard, j'avais déjà rencontrée en Bretagne à l'occasion d'un débat avec Jean Lassalle, le député centriste qui a lui aussi parcouru le pays à pied pour aller au-devant des citoyens. Cette femme du pays est attachée à le faire vivre, c'est-à-dire à y travailler. Elle s'installe d'abord dans une ferme qu'elle spécialise avec son époux dans le fromage de chèvre. Accablée par les épreuves – la mort de son mari puis l'incendie de la ferme –, elle fait face, reconstruit le bâtiment avec un nouveau compagnon et le transforme en une accueillante auberge de montagne, L'Herminette. Elle s'ingénie à permettre à ses pensionnaires de découvrir et aimer la région, à leur faire apprécier ses spécialités culinaires qu'elle prépare elle-même. Femme politique engagée, elle participe de plus aux instances chargées de la promotion et de la défense d'une spécialité locale, le « fin gras du Mézenc », qui dispose maintenant d'une AOP (appellation d'origine protégée). Il s'agit d'un savoir-faire des éleveurs bovins du plateau au pied du mont Mézenc. Ils ont constaté, depuis bien longtemps déjà, que les bêtes ne consomment pas la cistre (en fait du fenouil sauvage des Alpes) dans les prairies mais en raffolent lorsque, mélangée aux autres plantes constitutives du foin, elle est séchée. Les arômes de cette cistre se concentrent dans la graisse musculaire et confèrent à la viande persillée provenant d'animaux ainsi engraissés une saveur particulière et délicieuse, d'où l'appellation de « fin gras ». Catherine avait invité pour me rencontrer à Bigorre des amis à elle, dont Michel. Cet agriculteur du Lot aux convictions écologistes bien trempées, dégoûté par la pollution des sols dans sa région d'origine, cherchait un terrain vierge de tout produit chimique. Un concours de circonstances le fait atterrir à Bigorre, rencontrer Catherine, se procurer la terre rêvée et, après quelques années de maraîchage

172

bio, se lancer dans la panification intégrée. Il en réalise lui-même toutes les étapes : le semis du froment ; la moisson ; la mouture du grain à l'aide d'une petite meule mue par un moteur auxiliaire, dispositif qu'il a fait construire par un artisan ; la cuisson dans un four en pierre qu'il a lui-même monté et qu'il chauffe des heures au bois avant d'y enfourner la pâte levée ; la commercialisation des miches et boules de pain, enfin. Chaque année, il conserve une partie de sa moisson pour les semis à venir, procédé multimillénaire mais qui est devenu très rare aujourd'hui dans les pays développés où les agriculteurs achètent chaque année de la semence prétraitée. Le levain est naturel, entretenu après chaque fournée pour compenser la part utilisée. Et, pendant des décennies, ce système fonctionne, Michel et sa famille en vivent. Ah, quelle belle soirée consacrée en partie au pain des hommes ! Michel au parlé chantant vient hélas de prendre sa retraite sans solution de reprise de l'affaire pour l'instant.

J'ai prévu, après Bigorre, deux étapes courtes en sorte d'avoir le temps de grimper sur les principaux sommets des hautes terres à la frontière de la Haute-Loire et de l'Ardèche et d'en visiter les environs. Dans la matinée du premier jour, je commence par monter au village de Saint-Front puis, de là, à un col aux alentours de mille six cents mètres entre le mont d'Alambre et le Mézenc dont je contemple durant toute la marche d'approche les deux silhouettes massives un peu écrasées sur la ligne de crête. Un bon chemin balisé me fait passer par de larges prairies désertes parsemées de rares bâtiments. Les prés sont tous, nous l'avons vu, fauchés tandis que les bêtes consomment en stabulation le foin parfumé par la cistre. L'alpage s'arrête au pied des dômes sommitaux eux-mêmes pour laisser place à une belle forêt naturelle de résineux et d'essences à feuilles caduques. Du col, je descends dans la station d'altitude des Estables qui s'est développée autour d'un pittoresque village de montagne perché à plus de mille trois cents mètres d'altitude sur le plateau. Mon sac allégé au gîte où je passerai la nuit, je repars dans l'après-midi avec Princesse mascotte en direction des deux sommets du Mézenc (mille sept cent cinquante-trois mètres pour le plus élevé situé en Ardèche alors que l'autre sommet d'une dizaine de mètres moins élevé est en Haute-Loire) que nous atteignons par de larges chemins touristiques. La vue par un ciel dégagé est exceptionnelle, elle porte à l'est jusqu'au pic de Bure dans le Dévoluy, le Ventoux plus au sud. Au lever du soleil, on peut même, par temps clair, distinguer le mont Blanc. Sur le bord sud-est du cirque volcanique des Boutières, le mont Gerbier-de-Jonc est reconnaissable entre tous. Presque irréel, il a la forme d'un cône très arrondi presque parfait et aux pentes abruptes zébrées par l'entrelacs de la pierraille de couleur ici très claire et d'une végétation chiche, comme posé là négligemment dans le paysage, ou bien tête d'une fusée interspatiale dont tout le reste se serait enfoncé dans le sol volcanique du cirque des Boutières. Il s'agit en fait d'un suc, une bulle de lave visqueuse qui a gonflé lentement à la surface il y a huit à dix millions d'années ; il ne ressemble pourtant à aucune des autres formations volcaniques du cirque, nombreuses et de formes variées, aplatie, étalée, acérée, etc. Ma princesse, tout comme moi éblouie, est toute fière de se faire photographier au sommet du géant, face à ce paysage d'anthologie. Nous rentrons au gîte par un chemin différent qu'à l'aller qui nous permet d'observer le Mézenc sous un autre aspect et dans l'éclairage du jour déclinant.

Le cirque des Boutières,
« Pourtant que la montagne est belle »

Toute la journée du lendemain se déroule dans et autour du cirque des Boutières, entre le Mézenc et le Gerbier-de-Jonc. De plusieurs kilomètres de diamètre, le cirque, dont le fond est constitué de grasses prairies accidentées, coupées de petites failles et de bourrelets herbeux, est constellé de sucs qui saillent sur ses pentes et l'entourent sur ses bords. Il mérite de figurer au panthéon des plus beaux sites de notre pays qui n'en manque pas, et constitue le cinquième de mes coups de cœur paysagers entre deux mers, après le cap Sizun, la région de Guerlédan (en Bretagne), la Brenne et la vallée cristalline de la Creuse. Ma compagne et moi progressons, fascinés, d'abord sur le plateau en contournant le cirque à nos pieds, puis nous rejoignons par les pelouses fleuries sa partie basse avant de remonter sur son bord sud-est, à quelque distance du féerique mont Gerbier-de-Jonc vers lequel nous nous dirigeons dans une sorte d'hypnose. J'observe à nouveau de beaux orchis tachetés,

175

plus clairs que dans le Cézallier, presque blancs, ce qui fait ressortir les stries mauves concentriques doublement ponctuées en leur centre, qui décorent la fleur en gueule de loup. Une partie du chemin se déroule en compagnie de préposés aux espaces de la montagne ardéchoise occupés quant à eux à baliser les chemins empruntés par les randonneurs et les cyclistes VTT. Ils s'excusent d'abord avec une contrition évidente d'utiliser des engins mécaniques, une automobile sur la route et un quad pour s'engager sur les sentiers. « Mais, se justifient-ils, comment transporter sinon tous ces piquets que nous plantons ? Vous comprenez, monsieur, cette montagne est si belle ! Ce ne serait pas charitable de la garder pour nous seuls, il nous faut permettre à ceux qui n'ont pas la chance d'y vivre de se ressourcer en elle, eux aussi. » À les entendre, je pense qu'il n'y a pas que la montagne qui soit belle. Parvenu au pied du Gerbier-de-Jonc, objet de notre fascination depuis hier, il nous est impossible de ne pas l'escalader par une trace dans la pierraille jusqu'à son sommet à mille cinq cent cinquante et un mètres. De là, la vue sur le cirque des Boutières fermé au nord et à l'ouest par le massif du Mézenc complète l'image que je garderai de ce paysage unique en France. Il va de soi que ma mignonne pouliche un tantinet vantarde tient à ce que sa présence en ces lieux soit une fois de plus immortalisée.

Tout écolier retenait de mon temps au moins deux choses de ses années de scolarité : la bataille de Marignan s'est déroulée en 1515 et la Loire prend sa source au pied du mont Gerbier-de-Jonc. J'attendais par conséquent, depuis au moins soixante ans, de voir moi-même, à défaut de la bataille de Marignan, au moins le mont et les sources. Je décide par conséquent de consacrer mon après-midi à la visite des origines du grand fleuve que j'ai traversé il y a un mois déjà non loin de son estuaire. Ce n'est pas chose facile car il existe en ces lieux une véritable surenchère attrape-nigauds entre ceux qui prétendent posséder sur leur propriété l'unique, la seule, l'authentique, la principale… source de la Loire. Soucieux d'être exhaustif, je commence à en visiter plusieurs, minces filets d'eau qui coulent d'un tuyau ou ruissellent dans l'herbe. En fait, je m'aperçois qu'existent des dizaines de ruisselets qui, du pied du Gerbier, se réunissent dans une cuvette en contrebas du mont pour donner un ruisseau unique qu'il est cette fois possible d'appeler la Loire. Elle coule hélas à travers des propriétés privées et clôturées que je tente d'abord de contourner par des bois dans lesquels je m'égare. Mon exigence d'assister aux premiers âges du fleuve est cependant telle que, flanqué de ma peluche et faisant fi des interdictions, j'enjambe les clôtures et arrive enfin à un petit torrent de moins d'un mètre de large qui s'écoule vivement entre des rochers et dans les prés qui couvrent le fond de la cuvette inclinée en gouttière. J'y trempe le pied, Princesse aussi. Pas de doute, c'est bébé Loire encore dans ses langes. Je passe la fin de l'après-midi et la nuit dans une ferme-auberge au pied du mont Gerbier et en face de cette Loire aux premiers jaillissements de laquelle je suis tout guilleret d'avoir assisté. Toute une famille joviale travaille là, à la culture maraîchère biologique, à la cuisine, aux pâtisseries, à l'accueil et aux chambres d'hôtes, pour le plus grand bonheur des touristes et randonneurs qui ont eu l'inspiration de choisir cet établissement. Apéritif à la gentiane, charcuterie de montagne, caillettes, criques et criquettes, petits vins de l'Ardèche, tartes et autres douceurs aux myrtilles, produits et liqueurs à base de châtaignes, les rapprochent au plus près de la félicité. J'ai pu discuter tout à mon aise avec ces gens, les parents et les enfants. J'ai été frappé par un sentiment que je n'ai pratiquement pas vu exprimé pendant mon périple 2013, l'optimisme réaliste. Certes, on n'ignore pas la dureté des temps et l'importance des crises qui affectent l'Europe et la France. Cependant, comme me l'a déclaré le père : « Tout de même, nous, ici dans la montagne, nous sommes un peu à l'abri, un peu privilégiés. » Je retrouve aussi à l'auberge deux des baliseurs de chemins ardéchois croisés dans la matinée. Ils sont les bienvenus car je les devine pleins de ressources. Or j'ai un souci, certes mineur mais un peu gênant en pleine montagne : je perds ma culotte. La boucle de mon unique ceinture, ployant sous le poids de l'appareil GPS qui y est accroché, s'est désolidarisée du reste de la sangle. Cependant, je n'ai guère pris de ventre depuis mon départ et je dois tenir la culotte à deux mains ou la fixer à mes hanches avec de la ficelle. « Qu'à cela ne tienne, propose l'un des hommes, j'ai de quoi poser un rivet chez moi. J'y fais un saut et je vous rapporte la pièce. » Il tient parole, je finirai ma randonnée parfaitement culotté.

C'est bien entendu à Jean Ferrat que j'ai emprunté le titre de ce paragraphe. Il habita en effet, à partir de 1972 et jusqu'à sa mort, soit durant près de trois décennies, à Antraigues-sur-Volane qu'il aimait tant et où sa dernière compagne, Colette, vit encore. Je passerai dans deux jours à quinze kilomètres de cette petite ville. Le chanteur au cœur aussi gros qu'était belle sa moustache, au visage fin et à l'abondante et souple chevelure, à la voix chaude, a marqué toute ma jeunesse et une grande partie de ma vie d'adulte. Je l'écoute encore parfois, avec une émotion inchangée et le même plaisir. J'aime ses textes toujours poétiques et engagés contre toutes les formes d'oppression et d'aliénation, sa façon de chanter l'amour et l'amitié, l'épanouissement humain au sein d'une nature authentique et préservée, en particulier de la montagne ardéchoise. Le grand Jean l'a chanté : « *Il faut savoir ce que l'on aime / Et rentrer dans son HLM / Manger du poulet aux hormones / Pourtant que la montagne est belle / Comment peut-on s'imaginer...* » Eux, ces femmes et ces hommes accrochés avec bonheur à cette montagne, ils ont entendu et choisi. C'est cela qui justifie cet optimisme qui pourrait paraître naïf.

Et pourtant, quitter l'Ardèche

J'ai le cœur gros à la perspective de quitter les monts du Vivarais et les Ardéchois. Je décide par conséquent de prendre le chemin des écoliers afin de profiter au maximum du paysage des hautes terres. Je commence par longer la toute jeune Loire jusque après Sainte-Eulalie, la traverse une fois de plus et l'abandonne définitivement avec un pincement au cœur pour bifurquer à l'est vers Sagnes-et-Goudoulet, un ravissant petit village préservé du haut plateau, aux belles et vastes demeures rénovées. Je remonte alors plein nord en laissant à ma gauche le Gerbier en majesté sous le soleil du matin puis longe les Coux, une belle formation volcanique au vaste sommet plat. Je croise en chemin des amoncellements biscornus de roches basaltiques au milieu de prairies où paissent des troupeaux de bovins et rejoins par un petit col une sente parallèle à la route qui mène à Lachamp-Raphaël, puis à Mézilhac où je fais étape. De ce petit village un peu perdu au milieu de nulle part en bordure du plateau, il me reste à entamer la plongée vertigineuse vers la vallée du Rhône, mille mètres plus bas. Je la redoute car, par beau temps, ce peut-être une descente pénible vers la fournaise. J'ai cependant de la chance, le grand beau temps dont j'ai bénéficié en altitude fait place à une dégradation pluvio-orageuse associée à une importante baisse des températures. Une longue route tortueuse mène en environ trente-trois kilomètres à Privas, je tiens à l'éviter autant que possible. Le relief du flanc rhodanien de la montagne ardéchoise jusqu'au fleuve est très tourmenté, déchiqueté même, il est creusé de vallées profondes et escarpées et le parcourir est malaisé. Je parviens pourtant à trouver de petits chemins disposant d'un balisage local ; ils me font d'abord monter jusqu'au lieu-dit Le Champ-de-Mars au milieu d'un tapis de myrtilliers qui couvrent les clairières d'une belle forêt composée de petits arbres et arbustes à feuillage caduc alternant avec des bois de pins. Je marche dans un brouillard épais et sous un vent tempétueux qui projette avec violence la pluie sur mon visage, si bien qu'il m'est hélas impossible d'embrasser du regard le paysage de ce versant accidenté de la montagne. Je rejoins ensuite la route au col de la Fayolle, non loin d'Antraigues-sur-Volane au sud-ouest, par une succession de sentiers sinueux et, là, ne vois pas la possibilité d'éviter de poursuivre ma descente sur le macadam jusqu'à la voie à très grande circulation qui relie Aubenas à Privas. La progression devient alors plus scabreuse car je dois parfois avancer plaqué contre la paroi rocheuse dans des virages sans visibilité, frôlé par les voitures et les camions dont les conducteurs ne me voient qu'au dernier moment. Princesse mascotte dans mon dos est encore plus exposée que moi, j'imagine qu'elle n'en mène pas large. Dès que je le peux, je saisis la possibilité de me soustraire à cette situation franchement dangereuse en plongeant, les jambes un peu flageolantes, sur Saint-Priest au fond de la vallée de l'Ouvèze qui me conduit jusqu'à Privas. Préfecture de l'Ardèche, elle est, avec ses huit mille habitants, la plus petite du pays. Aussitôt en ville, je m'affale à la terrasse d'un café, d'autant plus las de cette longue descente qu'elle s'est déroulée sur route pendant au moins quinze kilomètres et que mon brigand de genou gauche tonitrue.

La cité est regroupée autour de son gigantesque hôpital psychiatrique bâti en hauteur en centre-ville. Les solides barreaux à ses fenêtres me faisaient penser, tandis que je m'en approchais, qu'il s'agissait là de la prison, rendant sa situation encore plus singulière. Cet établissement, jadis principal employeur de la ville et de la région, est aujourd'hui démesuré pour ses quelque deux cents pensionnaires alors qu'ils furent près de deux mille aux temps anciens de la psychiatrie d'enfermement. Je suis reçu ce soir à la maison d'hôtes L'Écureuil dont s'occupent Patricia et son époux Gérard sur les hauteurs de Privas, à trois kilomètres du centre. Ils ont tous deux adopté un mode de vie au plus près possible de la nature, pour ce qui concerne la nourriture aussi bien que la gestion de l'eau et des déchets, les loisirs et la défiance envers les « ondes ». Le beau jardin en terrasse est l'objet de tous leurs soins ; ma princesse s'y fait photographier au milieu des lavandes pour bien signifier à tous nos amis que nous sommes désormais presque en Provence. Mes hôtes sont bien entendu des opposants résolus au nucléaire dont la puissance est illustrée ici par la centrale du Cruas, toute proche, au sud sur la rive droite du Rhône. Comme Marie-Pascale au Cougou, à Guenrouët, Patricia et Gérard ont donné à leur établissement une coloration explicitement écoresponsable militante qu'ils affichent sur leur site, ils attirent de ce fait nombre de passagers écologistes. Ils ont convié à dîner avec moi un couple ami, Karine et Ludovic qui tiennent ensemble la boutique bio de Privas, un magasin prospère malgré le petit nombre de Privadois. Il faut dire que le département de l'Ardèche, comme la Drôme voisine, cultive une image résolument verte déjà illustrée par l'évocation des habitants des plateaux et de la montagne ardéchois qui ont adopté des pratiques culturales bio. C'est dire que mon séjour en Ardèche a connu un épilogue symbolique de mon séjour dans le département. Symbolique et enchanteur car les deux couples sont aussi rayonnants, cultivés, amoureux, ils puisent semble-t-il un équilibre et un évident bonheur de vivre ensemble dans la superbe diversité des paysages et des produits de l'Ardèche et se tiennent prudemment à l'écart des dérives politiciennes qu'adopte parfois l'écologie militante.

Je redoute l'étape qui m'attend après Privas car il me faudra trouver mon chemin jusqu'au Rhône et au-delà dans une zone intensément peuplée, sillonnée de grandes routes, d'une autoroute, de nombreuses voies de chemin de fer et de cours d'eau et canaux. Patricia et Gérard me signalent qu'une ligne ferroviaire désaffectée a été transformée en voie verte menant depuis Chomérac presque jusqu'au Pouzin où se trouve le pont sur le Rhône que j'ai choisi d'emprunter. La solution est idéale, je parviens sans souci jusqu'au fleuve par une belle piste plantée d'arbres. Après avoir croisé un dernier ravin creusé par un affluent de l'Ouvèze venant du plateau, admiré une superbe propriété ardéchoise ancienne aux toits de tuiles qui y est blottie dans un écrin de végétation méditerranéenne, je parviens au pont. Je suis dans la Drôme.

V

Dans la houle des Alpes
De la Drôme à la frontière italienne
et à la Méditerranée

La Drôme provençale, contrastes

Le Rhône franchi au-dessus de Montélimar, il me reste à me dépêtrer du dense réseau routier d'une vallée urbanisée et industrialisée. Je m'en tire en fait assez bien en m'engageant sur un chemin de service de la rive gauche, interdit et par conséquent désert. J'ai tout le loisir d'admirer le grand fleuve dont la teinte varie du bleu ciel et aigue-marine près de la rive que je parcours au bleu marine de l'autre côté, avec des reflets argentés qui se déplacent au fil du mouvement d'abondants nuages blancs. Je garde de ce trajet la belle image de Princesse mascotte assise dans l'herbe à côté de ma carte et de mon bâton de pèlerin, le Rhône derrière elle et l'escarpement ardéchois en arrière-plan. Mon amie semble ébahie d'être arrivée jusque-là depuis la pointe bretonne, je partage pleinement son étonnement ravi. Je repère ensuite un chemin qui me permet de traverser un canal parallèle au fleuve et de m'éloigner vers l'est à travers une campagne fertile en tous points différente des régions traversées depuis l'Indre. La lenteur relative du pas du marcheur lui permet d'apprécier mieux encore les contrastes de la nature, de l'habitat et de l'atmosphère que tout autre mode de déplacement plus rapide. Avec ces derniers, en effet, l'environnement change si vite que ses aspects variés n'ont pas le temps de laisser leur empreinte dans l'esprit, ils se fondent et se mélangent comme les images d'un film projeté en accéléré. De ce point de vue, passer en vingt-quatre heures des tapis de myrtilles encore loin d'être mûres, des rudes et grandioses paysages de la montagne ardéchoise et de ses hauts plateaux, de ses alpages consacrés à l'élevage et de son habitat dispersé aux belles maisons aux murs en pierre volcanique et aux toits en lauze, à la vallée du Rhône est saisissant. Là, fin juin, la moisson est déjà faite ou sur le point de l'être, les arbres fruitiers innombrables croulent sous le poids des abricots et brugnons mûrs aux belles couleurs, doré, orangé et rouge alors que la récolte des pêches et des kiwis se révèle prometteuse. Près du Rhône, les haies sont déjà chargées de mûres gonflées et bien noires. Les petits villages aux maisons à murs gris clairs, intégrant pierres calcaires et galets de rivière, et aux toits en brique romaine rouge sont nombreux, leur aspect est prospère. Certains, tels Mirmande et Cliousclat, accrochés aux premières collines de la Drôme, sont carrément superbes. La campagne, largement dévolue à la culture des arbres fruitiers, est parsemée de belles demeures de même style que dans les bourgs mais plus vastes, situées au centre des domaines sur le modèle de ce que l'on observe dans les grandes régions de viticulture. Cette fertilité et cette opulence dégagent aussi une impression d'équilibre et d'harmonie, de beauté mais d'un type tout différent de celui de l'Ardèche et de l'Auvergne où j'étais il y a peu encore.

Il fallait que mon arrivée dans la riche et lumineuse vallée du Rhône fût marquée, elle aussi, par une rencontre humaine à l'unisson. Elle l'est dans mon gîte Lou Cliou, près de Cliousclat. Annick et Gérard, là encore avec un couple ami, Geneviève et Laurent, accompagnés les uns et les autres de certains de leurs enfants, m'offrent une soirée sportive, épicurienne et bachique. Sportive car Geneviève, sa fille Perrine et son boy-friend sont des sportifs passionnés de montagne et d'escalade. Les jeunes se destinent d'ailleurs à une carrière sportive et nous avons bien des expériences à échanger. Bachique car Bruno et Laurent sont des œnologues avisés et que le premier s'est constitué dans son domaine une cave de rêve creusée dans la roche et aménagée pour y célébrer des offices dionysiaques bien sympathiques. On m'offre ce soir-là une dégustation consacrée aux côtes-du-rhône blancs et rouges, mirmande, saint-joseph et tain-l'hermitage. Sans le vin, le dîner eût été quand même des plus agréables car les femmes sont vives et dynamiques, Annick est d'une exceptionnelle prévenance, Perrine

187

une jeune personne au caractère bien trempé, tous ont des vies riches et s'intéressent à une multitude de sujets. Alors, la chaleur communicative et le plaisir de breuvages d'exception aidant, je ne vous dis pas ! Privas et Patricia, Cliousclat et Annick, leurs conjoints, amis et enfants en harmonie, n'est-elle pas belle la vie du chemineau ?

Contraste encore. Quittant plein sud-est la vallée du Rhône pour m'enfoncer dans la Drôme, sans même le temps d'observer une transition, tout change à nouveau, les arbres fruitiers disparaissent et laissent la place à des prairies, puis à un maquis balayé ce jour-là par le mistral sur les crêtes au-delà de quatre cents mètres d'altitude. À peine le temps de s'y habituer et c'est la redescente dans la plaine agricole de la Drôme provençale. Là, les maisons carrées aux murs ocre, leurs toits peu inclinés recouverts de tuiles rouges, les champs de lavande sur la pente qui entourent des céréales et du tournesol dans le fond de la cuvette ne laissent aucun doute, on est bien en Provence. Mais bientôt, nouveau chambardement. La plaine fait place à des vallées de plus en plus encaissées telle celle du Roubion, entre de hautes falaises verticales et claires. La rivière ménage sur son cours de belles cuvettes de pierre bordées de roches blanches et plates où se dorent des touristes après la baignade. Plus loin, c'est la pittoresque roche Colombe et Poupoune, le rocher de la Graville, puis plus haut encore, au-delà de mille cinq cents mètres, les Trois-Becs et les montagnes du Diois. Se met en place dans ces Préalpes drômoises un paysage que je vais maintenant retrouver presque jusqu'à Menton. Les vallées sont bordées de terrains à fortes déclivités, marnes nues en adret ou couvertes en ubac de végétation dont le caractère méditerranéen s'accroît vers le sud. Les chênes-lièges sont maintenant omniprésents. Ces versants sont dominés par de grandes parois calcaires verticales en forme de dent, de muraille, de barre ou de couronne. Après Pont-de-Barret, au sortir des gorges du Roubion, je me dirige vers la maison d'hôtes Les Bergerons isolée dans une petite plaine. Anne m'y attend avec perplexité. Quoique j'y aie réservé une nuitée depuis le mois de janvier déjà, elle demeurait très sceptique quant à ma capacité à parvenir jusque chez elle à pied depuis la pointe du Raz et m'a appelé en chemin, tandis que je montais au Mézenc, pour s'enquérir de ma progression. Mon arrivée est fêtée à l'aide d'une bouteille bien fraîche de clairette de Die, le « champagne » de la région. Le soir venu, la nature se déploie sans crier gare en un spectacle grandiose, un coucher de soleil sublime qui nous subjugue, ma mascotte et moi, réunis en un même être tremblant d'émotion. Un brasier orangé de laves en fusion dont les flammèches couvrent toute la gamme du jaune vif au rouge émerge d'un nuage bleu Klein dont la frange s'éclaircit vers des tonalités azur et pervenche. La ligne d'horizon est barrée dans un ciel dégagé azuréen par une bande grise coupée de traînées cuivre et or. Ainsi va ma route, à chaque instant différente, toujours belle, illuminée de plus de la beauté des femmes et des hommes rencontrés. Qui ne voudrait être à ma place ?

Marnes et états d'âme dans les Baronnies

Nous sommes le 1ᵉʳ juillet, dans trois semaines je tremperai en principe le pied dans la Méditerranée. Remontant à distance le cours du Roubion, je traverse le village de Rochebaudin aux belles maisons provençales serrées les unes contre les autres dans un écrin de verdure au bord de la rivière. Je monte ensuite jusqu'au plateau au-dessus de Dieulefit, parcours ses vertes prairies encadrées par les sommets drômois, puis rejoins la vallée par des pentes que dévalent les vagues bleues de la lavande à l'optimum de sa floraison. Le mistral s'est calmé mais le vent résiduel suffit à rafraîchir l'atmosphère, les pentes sont douces, le délice du chemin est en ce jour paisible. Mon étape se termine au Moulin de Crupies, bel établissement en bord de rivière tenu depuis deux ans par Danièle et Hansrüedi, un couple de Suisses allemands tombés sous le charme de la Drôme et de l'écologie. Ils possèdent une cavalerie de franches-montagnes, robustes et dociles chevaux helvétiques idéaux pour la promenade. Hansrüedi m'emmène avec lui dans les collines pour les nourrir. Dans les champs environnants paissent des chèvres blanches et bicolores enfin en liberté. Ces biquettes agiles et élégantes m'apparaissent aux anges d'être ainsi libres de leurs mouvements et de leur régime dans les alpages. Reconnaissantes, elles offrent un lait avec lequel sont confectionnés les si savoureux fromages de chèvre bio, bouchons, picodons et pavés, que je déguste chaque soir. Comme en Ardèche, la majorité des petits

paysans qui habitent les régions montagneuses et recu-
lées des Préalpes drômoises cultivent et élèvent ici
selon les préceptes de l'agriculture biologique et privilégient, avec succès, les productions typiques et de
qualité dont les consommateurs sont de plus en plus
friands. J'ai tout le temps d'apprécier le lendemain
les alpages et leurs occupants quadrupèdes car, pour
éviter de suivre le Roubion par la route, je grimpe à
un col situé cinq cents mètres au-dessus de la rivière
que je ne rejoins qu'à l'entrée du bourg de Bouvières,
au prix d'un important mais superbe détour. De là, je
ne peux cette fois hélas pas éviter de suivre la petite
route qui remonte après Haute-Gumiane à plus de
neuf cents mètres avant de redescendre sur la vallée
de l'Oule. La partie ascendante du trajet est agréable,
à travers une belle campagne arborée. Les tilleuls, une
spécialité de la région, sont innombrables, les noyers
nombreux. En altitude poussent des cerisiers dont les
petits fruits noirs et sucrés s'offrent sans retenue à la
gourmandise du marcheur. Levant le nez, tandis que
le jus des cerises dégouline de la commissure de ses
lèvres, il peut apercevoir les cimes et les crêtes plus
élevées des Hautes-Alpes vers lesquelles il se dirige.

Cependant, parvenu au dernier col face à la montagne d'Angèle, la descente s'amorce, interminable,
entre les marnes des Baronnies. La terre a ici vieilli
d'un coup, elle est couverte de profonds sillons de
cette matière faite de limon compacté mélangé à du
schiste et autres roches pulvérulentes, sorte de boue
grisâtre croûtée par la sécheresse mais sans consis-
tance en profondeur, instable, lave froide qui jamais

ne se solidifiera. Par endroits, la route qui serpente dans cette substance meuble s'est effondrée. Les pensées sombres s'imposent alors, elles portent en ce jour sur l'état de la France et du monde, peau ridée et sèche elle aussi d'un corps d'une incroyable vieillesse et qui a perdu tant de vitalité que ses jambes ne le portent plus et qu'il s'affaisse sous nos yeux. Pendant que je marche dans un pays si beau, le Moyen-Orient flambe à nouveau, en Libye, Syrie, Irak, Égypte, Gaza. La guerre est revenue en Europe, aux confins de l'Ukraine et de la Russie, elle aggrave la situation économique dans laquelle s'est mise elle-même l'Union par sa politique économique insensée. Les femmes et les hommes politiques qui, en France, alternent au gouvernement s'ingénient les uns et les autres à paver la route de l'extrême droite, ils se comportent de sorte qu'à la « sécession » déjà analysée s'ajoute l'indignation des comportements individuels et s'accroît de ce fait le rejet de leurs personnes. Encore le plissement alpin qui a surélevé il y a soixante millions d'années le fond des océans qui s'étendaient alors dans la région a-t-il abouti à ce que les marnes soient surmontées du sédiment des squellettes d'animaux marins à l'origine des fiers reliefs calcaires sommitaux. Rien de beau, ni de robuste, ni de fier, ni de clair n'apparaît dominer les marais et la boue du monde d'aujourd'hui.

Princesse mascotte boude, la répétition des descentes sur sol dur a exacerbé les douleurs au genou qui maugrée sans cesse. Le vent est tombé dans l'après-midi, le soleil surchauffe le macadam et les parois de la tranchée de marnes sombres au fond de laquelle la route serpente interminablement. Par endroits, cette tranchée se rétrécit au point qu'il est difficile aux voitures de se croiser. Le piéton est de trop, il en est réduit à prêter l'oreille avant de s'aventurer alors dans des virages dénués de toute visibilité afin de détecter le son des véhicules. Hélas, un torrent coule maintenant en contrebas, il couvre le bruit des voitures, je manque d'y laisser ma peau. Je parviens, morose, suant et clopinant, à Cornillon-sur-l'Oule pour constater que la maison d'hôtes, tenue par un couple belge, est située plus bas encore, dans la direction opposée à celle que j'emprunterai le lendemain. Même les beaux genêts à balais fleuris qui égaient un peu les mornes marnes de leur éclat doré ne parviennent pas à dissiper les nuages qui assombrissent mon âme. Je dois me reprendre, je suis proche du but, ce n'est pas le moment de flancher. Hélas, ma princesse d'habitude si réconfortante se tait, elle ne m'est aujourd'hui d'aucun secours.

Des Baronnies aux pays du Buëch

Le départ matinal est difficile, je serre les dents tant la douleur au genou reste vive. Bah, il se réchauffera bien, ce n'est qu'un mauvais moment à passer. Il me faut, depuis Cornillon-sur-l'Oule, remonter le cours de l'Oule jusqu'à La Motte-Chalancon au nord, puis Montmorin à l'est, près de sa source dans les Hautes-Alpes. Une fois de plus, une route le permet rive droite, je tiens absolument à l'éviter. Ni mes cartes ni l'interrogatoire des gens du pays ne m'offrent de solution alternative simple, au moins après La Motte-Chalancon. Je me lance pourtant sur des sentiers à chèvres qui suivent la rivière, sur sa rive gauche où dans les escarpements qui la bordent au sud. Ma progression est héroïque, parfois en plein maquis, d'autres fois déchaussé, les pieds dans l'eau pour franchir les affluents de l'Oule. Maintes fois il me faut rebrousser chemin devant des à-pics rocheux. Quand cela m'est possible, je me laisse glisser sur les fesses dans des sillons marneux de forte pente, d'autres fois je les remonte à quatre pattes en griffant le sol auquel j'arrache une poussière grise. Vaille que vaille, je parviens au pittoresque village de La Charce bâti sur un promontoire rocheux en dessous de son château. Au-delà de ce village, des terres agricoles situées des deux côtés de la rivière m'obligent à zigzaguer entre la route et des chemins menant à des hameaux latéraux. Une fois à Montmorin, il me faut m'élever de quelques centaines de mètres sur une bonne piste jusqu'à l'ancien hameau de Praboyer réduit aujourd'hui à un seul foyer, celui de mon gîte du soir tenu par Claire qui y habite à l'année avec sa fille et son compagnon et accueille les randonneurs sur le GR 91. Même les ruines des autres habitations ont disparu, si bien que le logis, une admirable bâtisse voûtée du XIXᵉ siècle, est totalement isolé à mille mètres sur un vague replat qui mène au col de Praux et semble surréaliste. La beauté sauvage de l'endroit, l'attachement de Claire, qui vit là depuis vingt-deux ans, à faire connaître à ses hôtes les merveilles et produits de la montagne, témoignent de la survivance d'une volonté opiniâtre d'illustrer ce que fut ici la présence humaine dans un strict respect de son authenticité. Je suis, presque comme toujours, le seul randonneur au refuge, goûtant la majestueuse solitude de l'endroit. Nous allons voir avec ma peluche l'ânon né de la nuit, flageolant sur ses longues jambes (les chevaux ont des jambes, pas des pattes : pourquoi pas les ânes ?), puis nous nous installons dans une petite prairie pour jouir de l'ombre qui s'étend lentement dans la vallée alors que les reliefs calcaires des sommets captent encore les rayons du soleil bas.

Le lendemain, la pente pour atteindre le col des Praux par un chemin en forme de tranchée défoncée et garnie de grosses pierres instables est très rude et inconfortable. En revanche, le chemin ascendant et en balcon qui longe en contrebas la montagne de l'Aup est une merveille. Tracé dans une belle forêt de mélèzes mélangés à quelques petits arbres à feuillage caduc, il monte en pente douce jusqu'à environ quinze cents mètres en ménageant tout du long une vue dégagée sur la vallée. Je rencontre en chemin des androsaces dont les cinq pétales blancs striés de mauve-violet entourent quatre carpelles jaune vif ; des lis de saint Bruno qui possèdent également cinq pétales blancs lancéolés autour de volumineuses anthères jaune citron ; enfin, et surtout, des lis martagon, les uns encore fermés en forme de petites aubergines, les autres dont les pétales rose violacé tachetés de pourpre sont gracieusement recourbés pour dégager un énorme pistil au stigmate orange offert, entouré d'anthères mauves en retrait. Le lecteur l'a deviné, ma mascotte et moi avons une passion pour les fleurs qui résument pour nous la

195

puissance et la magnificence du monde vivant. Leur beauté relativise le malheur et le rend plus supportable, elle fait un peu oublier les soucis du corps, c'est mon cas ce matin. En revanche, la descente vers la vallée du Buëch et Serres est terrible. Tout entière sur des chemins instables, grossièrement empierrés ou détrempés par des sources nombreuses, elle met mes maudites articulations à rude épreuve. Parfois, la douleur est si vive qu'elle induit un réflexe de relâchement brutal du genou qu'il est essentiel de réfréner dans ces terrains périlleux. Je suis inquiet, à nouveau un peu morose, lors de mon pique-nique dans la vallée, installé sous un arbre isolé dans une prairie. Le soir à Serres, le match France-Allemagne du mondial de football que je regarde à la télévision dans un restaurant surpeuplé et bruyant et devant une plantureuse tête de veau n'est même pas un motif de réconfort.

Heureusement, l'étape de Serres à Ventavon, dans la vallée de la Durance, promet de se dérouler sur des terrains plus accueillants. Françoise, mon hôtesse de la maison d'hôtes Safran et Hysope, m'a avisé de ne surtout pas aller jusqu'au bourg car son établissement en est éloigné de cinq bons kilomètres. Il est isolé dans les collines qui dominent à l'ouest la vallée de la Durance. Je dois, pour m'y rendre, prendre, à partir du col de Faye, une succession de beaux chemins qui zigzaguent en forêt, jouent les montagnes russes dans les marnes, passent devant des ruines de fermes abandonnées avant de rejoindre une importante piste forestière. Françoise vient à ma rencontre et guide mes derniers pas vers son logis où je passe une soirée formidable et une nuit réparatrice. L'après-midi est l'occasion de faire un point sur mes observations et expériences humaines des jours passés enrichies de mes contacts avec mes hôtes du jour.

Authenticité et crispation

Aujourd'hui, à la limite des Hautes-Alpes et dominant la fertile plaine de la Durance où les vergers prospèrent aussi bien qu'en vallée du Rhône, je réfléchis à la singulière mais si habituelle dérive qui conduit de l'authenticité – valeur éminemment positive – à la crispation et au repli identitaire – qui le sont moins. Depuis que j'ai quitté la Drôme occidentale et la plaine de la Drôme provençale, régions agricoles riches, je parcours des territoires au caractère montagnard de plus en plus affirmé, suite de vallées d'orientation générale ouest-est fermées par des verrous, simples éminences d'abord puis murailles de plus en plus imposantes que l'on franchit par des cols qui, hauts de trois à quatre cents mètres à l'ouest, atteignent et dépassent progressivement mille à mille huit cents mètres dans les Hautes-Alpes et les Alpes-de-Haute-Provence. Les fonds des vallées s'élèvent eux aussi, ils atteignent bientôt de six à huit cents mètres et leur agriculture s'en ressent : quelques céréales puis de la lavande et des oliviers et, enfin, des prairies consacrées à l'élevage, presque exclusivement ovin, qui utilise aussi, comme partout, les alpages au voisinage des cols. En revanche, adrets aussi bien qu'ubacs sont occupés en hauteur par des falaises à pic de calcaire dur qui surmontent des flancs ravinés de marnes plus ou moins végétalisées et de toute façon impropres à toute activité humaine. De manière progressive, ces vallées sont victimes d'une dépopulation majeure qui culmine peut-être avec l'exemple de Montmorin dans les Baronnies, à la limite sud-ouest du département des Hautes-Alpes. Chef-lieu de canton comptant près de six cents habitants au XIXe siècle, il n'en reste guère plus de quelques dizaines à résider au pays en hiver. Bien entendu, on ne trouve plus à Montmorin et dans la majorité de ces villages ni commerçants ni services publics – même les cafés ont disparu. Une seule famille habite encore le hameau de Praboyer.

La résistance à la désertification se manifeste aussi, je l'ai rapporté déjà en Ardèche et dans la Drôme, par l'installation d'exploitants misant sur la typicité et la qualité de leurs produits qui peuvent ainsi prétendre à des prix rémunérateurs, agriculture biologique et (ou), chaque fois que possible, protégée par des certifications d'origine et de savoir-faire. Une mention particulière doit être faite ici aux éleveurs de brebis des Alpes du Sud qui vendent des agneaux « de Sisteron » à un cours à l'heure actuelle d'autant plus soutenu que la France ne fournit que quarante pour cent de sa consommation de viande ovine. J'ai de la sorte rencontré, en particulier dans le gîte qui m'accueille aujourd'hui, de dynamiques exploitants tirant de leur activité de quoi faire bien vivre leurs familles et confiants dans l'avenir. Quoique la laine ne soit plus aujourd'hui en France qu'un sous-produit de ce type d'élevage, du fait de l'arrivée en masse de la fibre chinoise, néo-zélandaise et australienne, il faut bien tondre les pauvres brebis avant l'été chaud de ces contrées. Qui dit éleveurs dit aussi tondeurs. Celui avec qui j'ai dîné dans la maison d'hôtes de Marie-Françoise et de Franck, gérant eux-mêmes un cheptel de six cents têtes, ne se contente pas de manier la tondeuse, il est aussi féru d'informatique, rédige une revue consacrée aux passionnés de la discipline, écrit pour le journal de l'association professionnelle des tondeurs, anime le bulletin de sa commune dont il est aussi un archiviste érudit. De quoi bouleverser quelques lieux communs ! Marie-Françoise, quant à elle, chef d'entreprise et bergère abonnée au journal *Le Monde*, fourmille d'idées et d'initiatives, elle confectionne des liqueurs improbables au coquelicot, à la rose et autres produits naturels et s'est lancée il y a quelques années dans la culture de l'or végétal, le safran. La floraison de cette sorte de crocus survient en octobre, seul le pistil s'en recueille. Le cours du gramme est, autant que je me le rappelle, de l'ordre de trente euros et elle en a récolté cent grammes, ce qui fait de cette activité un complément de revenus non négligeable. Franck est, quant à lui, un important syndicaliste de sa profession, presque aussi souvent dans les ministères parisiens qu'auprès de ses bêtes. L'une de ses grandes affaires est, bien entendu, le loup sur lequel je reviendrai.

Tout ce que je viens d'évoquer témoigne de ma réelle admiration pour toutes celles et tous ceux qui déploient une énergie magnifique dans le but de vivre, entreprendre et travailler au pays, y maintenir une activité humaine qui puisse séduire encore de nouvelles générations. Et la crispation appelée dans le titre de ce paragraphe, alors ? Elle se manifeste de différentes manières. Certains des entrepreneurs que je viens d'évoquer, et dont dépend la survie d'un territoire, n'en sont pas issus. J'ai eu l'occasion d'expliquer dans *Pensées en chemin* pourquoi l'apport de la néoruralité était une chance historique pour des villages inéluctablement confrontés sinon, même quand leur agriculture reste très prospère, à la forte diminution du nombre de personnes travaillant directement dans les exploitations. Souvent, les néoruraux participent activement à la vie et à l'animation des communes, ils sont membres des conseils municipaux, parfois maires. Dans ce cas, il n'a pas été rare, ici et là dans le pays, qu'ils aient été sèchement battus aux dernières élections municipales après des campagnes axées pas tellement sur la critique de leur bilan mais plutôt sur le retour souhaitable à l'« authenticité » des gens du pays et le renvoi des « intellectuels » exogènes à leurs marottes lettrées. Un autre indice du phénomène dans le territoire que je viens de quitter, celui des Baronnies et des pays du Buëch, est la vigueur de l'opposition des associations locales de chasseurs et de certains agriculteurs à la création d'un parc naturel régional. Cette hostilité est alimentée par la peur d'être dérangé dans ses habitudes, d'avoir à harmoniser les pratiques cynégétiques et la visite du parc par les amoureux de la nature. La région crève, on n'est plus qu'une poignée à y vivre mais, surtout, ne rien tenter, ne rien faire qui puisse perturber en quoi que ce soit les habitudes des survivants voués à une disparition prochaine ! Or je n'ai jamais rencontré, ni en France ni à l'étranger, de cas où, quelques années après leur création, les parcs naturels n'aient pas fait la quasi-unanimité en leur faveur tant ils dynamisent la région au profit de tous. La crispation sur une authenticité identitaire mortifère de territoires désertifiés me rappelle la situation des partis, associations et courants de pensée qui ont tendance à devenir de plus en plus intégristes et sectaires à mesure qu'ils tendent vers le groupuscule.

Le massif des Monges

La vallée de la Durance que je traverse pour me rendre à La Motte-du-Caire par des chemins et une petite route sans difficulté ressemble par certains aspects à celle du Rhône. D'une très grande fertilité depuis le développement massif de l'irrigation, elle est tout entière occupée au sud du barrage de Serre-Ponçon par des vergers, principalement de poiriers. L'eau, détournée dans le canal de la Durance depuis le lac de retenue, alimente une série de centrales électriques hydrauliques jusqu'à l'étang de Berre et sert de plus à irriguer les terres agricoles. Ne coule plus de ce fait en été qu'un mince filet dans la rivière naturelle. La vallée dans laquelle passent, outre ce qu'il reste de la Durance elle-même, le canal, l'autoroute et une route nationale, est bordée par de beaux sommets, le pic de Crigne dans le sud des Hautes-Alpes à l'ouest, les Croix et les premiers contreforts du massif des Monges à l'est, dans les Alpes-de-Haute-Provence. Les Monges, qui culminent à deux mille cent quinze mètres d'altitude, forment un ensemble montagneux massif entre Sisteron et Digne, sur le versant ouest des Alpes-de-Haute-Provence au-delà de la Durance. Peu de routes y passent, si bien que ces montagnes se contournent bien plus qu'elles ne se traversent, sauf par les piétons et tout autre moyen de transport apte à circuler sur les sentiers à chèvres. Quelques villages tels que La Motte-du-Caire, Authon, Saint-Geniez et Thoard occupent des vallées du massif qui ne communiquent pas aisément entre elles. Je l'ai parcouru en deux jours depuis La Motte-du-Caire, d'abord pour me rendre dans le très joli petit village d'altitude d'Authon, puis de là à Digne. Ces deux parties resteront dans mon souvenir, pour leur beauté, d'abord, mais aussi pour les péripéties qui les ont émaillées, ses excès aussi en ce qui concerne la seconde.

Je suis informé en quittant La Motte-du-Caire qu'un déluge m'attend dans l'après-midi si je suis encore en montagne et décide d'adapter mon parcours en conséquence. La matinée promet d'être belle et j'en profite pour commencer à apprivoiser les Monges en faisant un large détour par le nord du rocher Roux et les pentes de la Blachère avant de redescendre dans la vallée du torrent Sasse en aval de Clamensane. De là, plutôt que d'emprunter la ligne des crêtes de la montagne de Jouère au-delà de mille huit cent mètres, comme j'en avais l'intention, je suis dans la direction du hameau de Valavoire une piste pastorale plus au sud. Elle passe par plusieurs petits cols entre mille deux

202

cents et mille quatre cents mètres, ondulant entre des bergeries d'altitude dans des alpages où paissent des troupeaux de brebis bien gardés par des chiens patous que je vais bientôt évoquer plus longuement. Les sommets alentour disparaissent peu à peu dans des nuages noirs et menaçants, la brume envahit les prairies les plus hautes et le tonnerre commence à gronder alors que j'entame ma descente entre des marnes ravinées sur le village d'Authon, situé à un peu plus de onze cents mètres. Je presse le pas, marche sans m'arrêter et arrive au Gîte des Monges juste au moment où l'orage se déchaîne vraiment et où des trombes d'eau commencent à rincer abondamment la région pour ne s'interrompre qu'au petit matin. Comme à de nombreuses étapes (Ventavon et La Motte-du-Caire les jours précédents), des lecteurs en vacances dans la région suivent mon parcours sur Internet et m'attendent bien à l'abri au gîte pour échanger et faire dédicacer leurs exemplaires de *Pensées*... Le maire et ses adjoints viennent ensuite me rejoindre, occasion d'évoquer avec eux l'économie rurale, les loups et un frémissement perceptible de renouveau des villages observé un peu partout dans le pays et dont je reparlerai. Le Gîte des Monges est en fait une auberge rurale, propriété de la commune qui l'intègre à sa politique d'attractivité touristique. Y passent des randonneurs et y font des séjours des couples et des familles en vacances. Richard et Fabienne, les gérants, les conseillent et les régalent, j'en profite pleinement. Je m'enquiers aussi auprès d'eux et de l'équipe municipale du chemin que je pourrais emprunter pour me rendre le lendemain à

Digne-les-Bains. Mon projet leur semble un peu fou et leurs avis divergent. Il me faut me débrouiller tout seul, un peu soucieux de ce que leur étonnement laisse supposer de la difficulté de l'étape.

D'Authon à Digne, il n'existe ni route ni chemin direct. Je décide par conséquent, vu la clémence annoncée de la météo, de monter par un chemin balisé sur les crêtes de la montagne de Melan puis de la colline Saint-Joseph, conscient de ce qu'elles m'imposeront de faire un très large détour par l'ouest. Après avoir décrit presque un demi-cercle, je me retrouverai de la sorte au-dessus du village de Thoard. Ensuite, ce dernier et sa vallée franchis, il me faudra remonter sur une autre arête dominée par La Bigue pour parvenir de manière plus directe au-dessus de Digne et y plonger. Je prévois que la journée sera longue et corsée, elle le sera au-delà de mes prévisions les plus pessimistes. Après dix heures de marche effective, mon compteur GPS totalisera quarante-deux kilomètres parcourus, mille huit cent cinquante-cinq mètres de montée et deux mille trois cent trois mètres de descente. C'est à coup sûr la plus extrême de toutes les étapes pédestres et montagnardes de toute ma vie de randonneur, ce qui, à la veille de mes soixante-dix ans, est assez singulier et, pour tout dire, réjouissant. Cette journée de la démesure est de ce fait aussi pleine d'émotions et de satisfactions. À mon départ de l'auberge, le brouillard ne s'est pas encore levé, tout est détrempé, le sol, l'herbe, les arbustes et les arbres. Quoique la pluie ait cessé, je suis de ce fait rapidement trempé, pieds et chaussettes inclus. Un timide soleil perce lorsque je parviens, vers quinze cents mètres, à la grotte Saint-Vincent dont l'entrée a, vue de l'intérieur, la forme d'un cœur parfait que j'offre à toutes les dames de mes pensées. Le chemin continue de monter sur la crête, passe aux environs de dix-sept cents mètres, puis va chercher, par un trajet tortueux sur lequel je m'égare à plusieurs reprises, la colline Saint-Joseph. Son arête est parcourue par un bon chemin ascendant qui offre maintenant des perspectives dégagées sur le massif dans presque toutes les directions. J'ai pu compléter en montant mon inventaire des fleurs des Alpes du Sud. La grande gentiane à fleurs jaunes et les digitales jaunes y poussent alors qu'y abondent la petite coronille et la catananche bleue. La première possède de belles fleurs jaune serin strié de rouge dont la forme rappelle un peu celle des pois de senteur. Les catananches sont constituées d'une triple corolle de pétales et de sépales bleu persan un peu violacé au centre qui s'éclaircissent en une teinte très pâle, aiguemarine presque blanche, vers la périphérie avant de reprendre une tonalité azur plus soutenue au niveau de leurs pointes. Quelques étamines discrètes ajoutent leurs touches jaunes qui ressortent sur le cœur bleu foncé. Les catananches bleues sont ici les fleurs dominantes, entre douze cents et quelques centaines de mètres, leur abondance évoque celle des scabieuses et, comme dans le cas de ces dernières, leur banalité n'altère en rien leur splendeur.

Je décide de déjeuner rapidement avant de descendre de la colline Saint-Joseph en direction de Thoard. Sac à terre, j'ai un choc : Princesse mascotte n'est pas là ! Son absence de réaction aux merveilleuses fleurs rencontrées et à ma dédicace aux dames depuis la grotte Saint-Vincent aurait dû éveiller mes soupçons. Surmontant mon désarroi, je reprends mes esprits. La sangle qui maintient mon amie est attachée, il est improbable que ma pouliche soit tombée en route. Je la suspecte d'avoir pressenti la terrible étape qui nous attendait et de s'être cachée au matin afin d'y échapper, d'éviter, pendue par le cou à l'extérieur du sac, les cahots du chemin, les branches mouillées, les chutes éventuelles. Je ne peux pas lui en vouloir, elle doit se préserver pour être en forme à Caen, fin août, où elle sera l'héroïne des jeux équestres mondiaux. Loin des yeux, loin du cœur, j'avoue l'avoir alors oubliée, pressé que j'étais de me mettre en chemin. Heureusement, le téléphone passe sur les crêtes, j'alerte Richard qui part à la recherche de ma petite amie en peluche. Il me rappelle peu après, il a trouvé la coquine derrière un vase sur la commode. Pourra-t-elle faire du stop pour me rejoindre à Digne ? Je suis un peu rasséréné en descendant dans des bois de résineux, puis au milieu des champs de lavande toujours dans l'exubérance de leur floraison bleue, jusqu'à la vallée et au petit village de Thoard où je parviens déjà assez émoussé. Le temps de boire deux Perrier menthe, de manger deux glaces et me voilà reparti vers le col de la Croix puis les flancs de La Bigue, vers mille cinq cents mètres. Le temps passe, les heures s'écoulent, chaque côte devient maintenant pénible, le pas se raccourcit. Enfin, encore au-dessus de quatorze cents mètres, dans un champ où un tout jeune poulain s'exerce à marcher, les jambes aussi tremblantes et incertaines que sont les miennes, j'aperçois Digne-les-Bains neuf cents mètres plus bas, dans la vallée de la Bléone et de ses affluents. Un léger vent a alors chassé tous les nuages, l'atmosphère fraîche du soir est limpide, la vue à l'ouest sur la montagne du Cheval-Blanc à plus de deux mille trois cents mètres et sur celle de Coupe et sa barre des Dourbes, plus au sud, est majestueuse. Reste à descendre dans de raides pierriers, d'abord au milieu d'arbustes, puis de la forêt jusqu'au bord de la rivière et au pont qui la traverse. Chaque pas est à présent douloureux, les pierres roulent sous mes chaussures. Je suis obsédé par la peur de la chute qui, maintenant si près du but, aggraverait encore l'état de mon épaule meurtrie et me stopperait net. Pourtant je parviens jusqu'à la Bléone sans incident et m'efforce de paraître fringant pour parcourir les derniers deux à trois cents mètres qui me séparent du petit hôtel que j'ai choisi en centre-ville. Il est dix-neuf heures trente, je me suis mis en marche à huit heures et ne me suis guère arrêté que pour déjeuner et à Thoard. Pourtant, j'ai retrouvé de l'allant pour, la douche prise, me rendre au restaurant que l'on m'a indiqué. L'appétit est excellent. Ce sera, demain 9 juillet, le dernier jour de repos de ma diagonale, il est le bienvenu. De plus, cela laissera du temps à ma princesse pour me rejoindre.

Des loups et des patous

Partout où j'ai discuté avec des exploitants ou des élus dans les Hautes-Alpes, les Alpes-de-Haute-Provence et les Alpes-Maritimes, la question du loup a été abordée. On sait que le dernier loup gris a été tué en France dans les années 1930, peut-être dans le Limousin en 1937. Ils étaient encore plus de cinq mille au début du XIXe siècle mais leur élimination par tous les moyens (lieutenants de louveterie, appâts empoisonnés à la strychnine) alors programmée les déciment rapidement. Plus de treize cents sont tués rien que durant l'année 1884. En revanche, une population lupine persiste en Espagne et dans les Abruzzes en Italie. Déclarée espèce protégée en 1976, le loup se maintient dans ces pays. La population italienne se développe et atteint les Apennins et les Alpes ligures d'où il passe, dès le début des années 1990, dans le Mercantour, en Tinée et Vésubie. Il semble que les responsables du parc national du Mercantour qui s'y attendaient aient suivi dès le début la réapparition du loup sur le territoire national, y voyant pour certains une réintroduction plutôt souhaitable de la vie sauvage dans le parc. Plus de cinq cents bêtes sont aujourd'hui dénombrées en France, elles ont colonisé tous les massifs montagneux du pays et ont déjà attaqué en plaine dans l'Aube, la Marne et la Meuse. Les plus importantes concentrations se trouvent néanmoins encore dans les Alpes du Sud que je parcours. Les pratiques pastorales s'étaient adaptées en France à l'éradication du prédateur : les troupeaux en estive n'étaient plus réunis le soir mais surveillés seulement par des bergers, fréquemment des bergères, qui montaient le matin de la vallée plus souvent qu'ils ou qu'elles ne résidaient dans une cabane sur place. Les chiens bergers servaient à rassembler le bétail mais n'étaient d'aucune efficacité contre les prédateurs. Bien entendu, la réapparition du loup a entraîné un bouleversement de ces pratiques. Les bergères et les bergers doivent résider en altitude, les troupeaux sont rassemblés le soir et gardés par des chiens patous, c'est-à-dire des bergers (ou chiens de montagne) des Pyrénées. Ces animaux sont utilisés contre les prédateurs depuis le XIVe siècle.

Le débat est vif entre les deux camps. D'un côté, les éleveurs qui, malgré la présence de nombreux chiens patous et la surveillance renforcée près des bergeries et dans les alpages, supportent mal les attaques de la bête, incroyablement rusée, et les dégâts occasionnés (animaux morts ou qu'il faut euthanasier, stress des survivants, perturbation des agnelages...). De l'autre côté, les défenseurs de la vie sauvage. De fait, le loup ensauvage sans contestation la montagne. Un enregistrement infrarouge d'une attaque montre les fauves provoquer pendant des heures les patous, finir par les attirer à distance des brebis terrorisées sur lesquelles fondent alors des membres de la meute restés cachés en retrait. J'avoue mal comprendre parfois les motivations des défenseurs du loup au-delà du concept idéologique d'une nature sauvage désirable. La bête n'est guère dans notre pays un facteur d'équilibre écologique qui risquerait sans cela d'être perturbé, elle contribue peu au plaisir des amoureux de la nature car bien rares sont ceux qui peuvent se vanter de l'avoir vu en liberté. Elle égaie surtout l'esprit de ses amoureux qui en rêvent. Dans le combat épique de la chèvre de M. Seguin dont l'issue tragique me faisait dans mon enfance verser des torrents de larmes, j'étais sans hésitation du côté de la chèvre. Je crois bien que, aujourd'hui encore, je préfère m'engager en faveur des brebis plutôt que de leur prédateur et je comprends le sentiment des éleveurs dont certains, je puis en témoigner, renoncent de ce fait aujourd'hui à une activité logique d'un point de vue économique et qui contribue à la survivance, parfois au renouveau de la vie rurale.

Martine Aubry, candidate à une primaire pour désigner le candidat de la gauche socialiste à l'élection présidentielle de 2012, a un jour déclaré à propos de François Hollande, son adversaire principal qui l'emportera : « Là où il y a du flou, c'est qu'il y a un loup. » Je lui laisse la responsabilité de son affirmation mais puis en revanche témoigner de ce que là où il y a des loups, il y a des chiens patous, beaucoup plus redoutables pour les randonneurs que les premiers qu'on ne voit en général pas. Or la marche dans les alpages impose de croiser nombre de troupeaux gardés avec une redoutable efficacité par les patous. Ces chiens aux longs poils blancs et d'allure débonnaire atteignent une taille impressionnante. Ce sont des professionnels totalement dévoués à leur tâche : éviter que tout intrus ne s'approche des brebis. Sinon, en général, les plus douces des bêtes. Dans les estives des

Monges, j'eus l'occasion de me frotter d'un peu près à deux d'entre elles dans l'accomplissement de leur mission. La première fois, mon chemin passe à proximité d'un troupeau réuni sur le bord amont du chemin. Un patou gardien est là, paisiblement allongé à proximité immédiate de ses protégées. Il se lève, vient à ma rencontre en donnant de la voix de manière de plus en plus comminatoire. Je tente de parlementer, fais valoir que je ne suis pas un loup, même pour l'homme, que rien en moi n'évoque le fauve et que, d'ailleurs, j'ai publiquement, comme lui, pris le parti des brebis contre leur ennemi qui est aussi le sien. Passablement borné, il ne veut rien entendre et clarifie ses intentions en me faisant admirer sa superbe denture. Il est plus convaincant que moi et je cède, entreprenant un large détour par l'aval, à distance des ovins. Satisfait, le patou retourne sagement se coucher.

La seconde fois, les choses se présentent plus mal car les moutons sont répartis sur les prairies amont et aval et qu'il me faut par conséquent passer au milieu d'eux, sans aucune autre possibilité si je veux aller de l'avant et arriver à Authon avant le déluge qui se prépare. Un patou s'y oppose avec énergie, la situation est bloquée. J'entame alors avec lui une sorte de pas de danse, version canine du *Danse avec les loups* de Kevin Costner mais avec, au total, un succès moins complet. Afin de le contourner par un arc de cercle hors du chemin, je pivote sur moi-même sans le quitter des yeux tout en continuant à avancer très doucement, décimètre par décimètre. Le vigilant protecteur des troupeaux devient alors franchement menaçant, il m'approche à quelques mètres, crocs dégagés sous les babines retroussées. Je n'en mène pas large et brandis mon bâton de pèlerin, pour me défendre plus que pour l'impressionner. De fait, loin de l'effrayer, mon geste décuple son hostilité et j'ai appris depuis qu'il ne fallait jamais agir ainsi. Heureusement, je parviens à passer la bête et, en marche arrière, m'éloigne aussi rapidement que possible afin qu'elle apprécie la levée de la menace qu'elle a cru sentir pour ses brebis. D'abord méfiant, le patou me regarde m'éloigner toujours menaçant puis se calme, m'observe, apaisé, encore un instant et retourne finalement s'allonger lui aussi à côté des animaux à sa garde. En définitive, le loup ensauvage bien la montagne, je le confirme, non seulement par ses prédations mais aussi, de façon indirecte mais autrement plus dangereuse pour les humains, par la présence qu'il impose du patou peu enclin à faire la différence entre les promeneurs et le fauve.

Passer la barre des Dourbes

Ma journée de repos à Digne est malgré tout bien occupée. Différents événements médiatiques ont été programmés, dont une interview en direct avec une radio nationale à six heures trente le matin ; je la donne encore somnolent depuis mon lit, juste tiré du sommeil du randonneur harassé. Je visite bien entendu les vieux quartiers, en particulier la belle cathédrale Notre-Dame-du-Bourg et sa crypte archéologique qui permet de retracer les différentes périodes de la cité.

J'avais été avisé de ne manquer pour rien au monde l'impressionnante « dalle à ammonites », située à un kilomètre et demi au nord de la ville. Plus de mille fossiles de ces mollusques du jurassique inférieur sont incrustés dans cette vaste dalle inclinée, témoignage de ce que le soulèvement alpin a concerné ici des fonds marins. Afin de gagner du temps, je repère aussi le départ de mon itinéraire pour l'étape du lendemain. Cependant, la grande affaire du jour consiste bien entendu à retrouver Princesse mascotte qui m'a quitté pour la première fois depuis plus de deux mois. Peut-être lui manqué-je, elle ne s'est pas fait prier pour venir me rejoindre en auto-stop. Rendez-vous a été pris au syndicat d'initiative, elle tient parole, nos retrouvailles sont presque émouvantes, elle ne me quitte plus jusqu'au soir.

La vallée de la Bléone est étroite, si bien que Digne est coincée entre le massif des Monges et celui de la montagne de Coupe sur les contreforts de laquelle grimpent ses quartiers est. L'ascension vers le pas d'Entrages débute par conséquent en ville même. Du col, le panorama sur la vallée et la cité, sur les Monges au-delà, est parfaitement dégagé ce matin ; il permet de prendre conscience des distances et des dénivelés que le marcheur a parcourus et gravis, toujours aussi saisissants même pour un randonneur dont la carrière a débuté soixante ans auparavant. Après le village d'Entrages situé dans une jolie cuvette d'alpages, un bon chemin conduit dans les marnes et la forêt au pied de la barre des Dourbes, dans le hameau de la Clappe où je fais étape. Mon logis du jour est une ancienne colonie de vacances au sein d'un vaste domaine qui comporte plusieurs bâtiments disséminés dans un parc. J'en suis aujourd'hui le seul occupant, avec mon hôtesse fraîchement arrivée sur les lieux. Je profite de l'après-midi pour aller tâter la fameuse et très impressionnante barre qu'il me faudra traverser demain. Elle surmonte – selon une disposition rencontrée depuis la Drôme – des marnes à la forte déclivité sur lesquelles je m'élève à la manière des chèvres. Je bute sur une muraille calcaire verticale de quatre à cinq cents mètres de haut et d'environ vingt kilomètres de long qui s'étend vers le nord aussi bien que vers le sud. Elle apparaît, d'où je suis, infranchissable, sinon à l'aide de pitons et de cordes. Des failles existent pourtant qu'il me faudra aller chercher en remontant une bonne dizaine de kilomètres vers le nord. C'est ce à quoi je m'emploie le lendemain en quittant le domaine de la Clappe en une longue et somptueuse marche d'approche sur un chemin en balcon montant et descendant entre douze et quatorze cents mètres. Aucune nébulosité n'embrume les lointains, le ciel est d'un bleu azuréen très pur, j'avance face à la barre des Écrins et au mont Pelvoux dont les sommets découpés et enneigés ne sont pas encore masqués par la touffe de nuages qui s'y accroche dès le milieu ou la fin de la matinée. À ma gauche, j'aperçois, au-delà du bassin d'Entrages et de la vallée de la Bléone, les crêtes de la montagne de Jouère dont le soleil levant fait ressortir la blancheur presque aveuglante. À ma droite, je longe l'interminable barre des Dourbes encore dans l'ombre excepté certaines trouées de son arête dans lesquelles les rayons s'engouffrent et illuminent d'un coup la roche en en soulignant le violent contraste avec les anfractuosités sombres. Ma princesse et moi nous arrêtons parfois pour admirer parmi les fleurs nombreuses celles que nous hésitons à identifier, circes et centaurées scabieuses aux élégants tubes rose-violet et aux anthères blanches en forme de clochettes de muguet. À dix heures trente, le soleil qui a franchi la crête enflamme brutalement la paroi claire qui réfléchit alors une lumière aveuglante dont il me faut détourner le regard. Enfin, le chemin amorce la montée vers le pas de la Faye à environ dix-sept cents mètres. De là je gagne, en quelques pas, la crête dénudée couverte d'herbe rase et d'arbustes nains qui poussent entre les rochers et la rocaille d'un univers très minéral. Outre les perspectives déjà notées pendant l'approche, le regard ébloui embrasse maintenant le sommet de Couard, point culminant à dix-neuf cent quatre-vingt-neuf mètres de la barre à son extrémité septentrionale, la profonde vallée de Tartonne au fond de laquelle coule l'Asse à l'est et, au nord-est, les sommets de la montagne du Cheval-Blanc au-delà de deux mille deux cents mètres.

Peut-être l'approche du terme de ma nouvelle traversée du pays en est-elle responsable, ou bien la majesté de ces plans montagneux calcaires qui se succèdent à perte de vue en une journée aux conditions météorologiques idéales, l'idée me vient que ma princesse et moi nous sentons si merveilleusement bien sur ces sommets que redescendre ne pourra que briser le charme. Nous nous installons, la pouliche bien calée entre deux rochers face à la pente et veillant sur mon sac, moi plus loin sur la crête dont j'ai entrepris de découvrir la partie sud, bien décidés à jouir de l'instant comme s'il devait durer indéfiniment. Le piquenique consommé dans la délectation d'une solitude contemplative élevée et comblée, nous restons immobiles, pétrifiés par le bien-être, le regard obstinément détourné de ce qu'il y a en bas. Pourtant, c'est là qu'il faut bien penser à se rendre. De ce jour, redescendre sera une épreuve chaque fois plus douloureuse, et je ne fais pas là allusion aux articulations bougonnes qui, elles aussi, apprécient de moins en moins cette forme de déclin. J'entre au-delà de la barre des Dourbes dans une région traversée par une série de vallées d'orientation générale nord-sud qui communiquent les unes avec les autres par des cols peu élevés qu'il me faut franchir. Après une étape au gîte-auberge des Robines près du bourg de Tartonne, un établissement dans le genre du gîte des Monges au fond de la vallée de l'Asse, je m'éloigne plein est par un chemin bordé de curieux petits oratoires aux statues naïves qui mène à la jolie chapelle romane Notre-Dame-d'Entraigues. Je passe ensuite par une source salée avant de m'élever jusqu'au col de Séoune d'où je peux en principe rejoindre la vallée de l'Issole en quelques kilomètres. Au col, je suis cependant saisi à nouveau par la phobie d'une descente à laquelle je ne puis me résoudre et continue plutôt à monter vers le nord en direction du flanc ouest de la montagne du Cheval-Blanc autour de laquelle je m'enroule depuis quatre jours d'allers-retours nord-sud imposés par la barre des Dourbes.

Quittant une bonne piste, je me transforme à nouveau en caprin pour grimper droit dans la pente jusqu'à un vague replat à seize cents mètres où je pose mon sac, libère ma compagne et m'assois, pour me plonger, avec la princesse à mes côtés, dans une méditation douloureuse et délectable à la fois. J'aimerais m'enraciner dans cette rude pente d'alpage, les vallées à mes pieds, les sommets environnants pour voisins, les fleurettes d'altitude pour compagnes. Tout bien considéré, où est-il possible d'être plus heureux que là ? D'ailleurs, puisque j'ai, chemin faisant, dressé le hit-parade des beautés de la nature entre deux mers, les Préalpes et Alpes calcaires du sud méritent d'y occuper la sixième et dernière place chronologique. Une mention spéciale doit, dans ce cadre, être réservée à l'ensemble du massif des Monges, de la montagne du Cheval-Blanc et de la barre des Dourbes, à leur relief tourmenté dont la blancheur resplendit dans le ciel de la haute Provence. Ces montagnes sont beaucoup moins connues et parcourues que leurs grandes sœurs de Savoie, de l'Isère et du nord des Hautes-Alpes, c'est dommage, elles sont exceptionnelles... et sportives. Hélas, le ciel s'assombrit, l'orage annoncé dans les prévisions météorologiques se précise, ce sera bientôt un déchaînement du type de celui évité de justesse à Authon dans les Monges. Après avoir contourné un ravin bordé de parcs à brebis, franchi un nouveau petit col, il nous faut descendre vers la vallée de la Sasse, dégringoler, devrais-je dire tant la déclivité est forte. Des éclairs fulgurants déchirent un ciel de plomb, le tonnerre et son écho roulent de cime en cime, de ravin en ravin, il nous entoure de toute part. La pluie violente dégringole elle aussi, du ciel et de la pente, elle entraîne la terre marneuse dans son ruissellement et fait rouler les cailloux. Bientôt la grêle s'en mêle, les grêlons rebondissent sur le sol et glissent sur ma cape. Bien emmitouflés dans plusieurs couches de vêtements en principe imperméables, ma ravissante peluche et moi parvenons enfin à notre gîte du hameau de Château-Garnier.

Villages et hameaux

Michèle et son époux m'accueillent avec chaleur au gîte Château-Garnier. Ils sont tous deux engagés dans la vie locale et régionale, ont lu *Pensées en chemin* et connaissent mes projets. Ils ont hâte de me parler du « pays » A3V, Asse-Verdon-Vaïre-Var, auquel appartiennent les vallées où je circule et celles vers lesquelles je me dirige. Malgré la pluie, Michèle me conduit à Thorame-Basse, le bourg de la commune, où je m'entretiens longuement avec le maire. Ce quadragénaire a quitté, plus jeune, la vallée pour travailler en ville. Il est revenu pour entreprendre au village et y a créé une petite brasserie de bières locales qui ont trouvé leur marché. D'autres dans la commune ont imité son exemple et se sont établis dans la confection et la vente de fromages, l'élevage et le maraîchage. Des bergers gardent en altitude les troupeaux des propriétaires du Var dont les prairies sont transformées en paillassons rêches dès les premières ardeurs de l'été. Ce regain d'activité va de pair avec l'arrivée d'une population néorurale, retraités encore jeunes et professionnels que le télétravail autorise à vivre éloignés des bureaux de l'entreprise. À mesure que je me rapprocherai de la Méditerranée, ce mouvement de repopulation active des villages s'amplifiera de tous ceux que le style de vie et les prix de l'immobilier, locatif ou en accession à la propriété, des villes de la côte chassent vers l'arrière-pays.

La fin de la désertification croissante des campagnes connaît certes des exceptions mais j'ai moi-même observé cette tendance au cours de mes deux traversées de la France. Le maire d'Authon, village d'altitude dans la montagne des Monges, a fixé aux années 1960-1970 le pic de dépopulation, suivi d'un plateau puis d'une lente ré-augmentation du nombre des habitants à partir de la période 1990-2000. D'autres édiles confirment ces données. En fait, la situation est variable selon le type des communes considérées. Celles qui s'étaient surtout consacrées, souvent depuis la fin du XIXᵉ siècle, à une activité manufacturière continuent souvent de péricliter de nos jours. L'existence de friches industrielles et autres atteintes à l'environnement, associée à la grande pauvreté fréquente des populations résiduelles, dissuadent les néoruraux de s'installer. À l'inverse, les communes rurales proches des frontières et (ou) situées à moins de cinquante kilomètres des bassins d'emploi, *a fortiori* de zones intensément urbanisées et au logement cher, bénéficient à plein du phénomène. À la limite, la distinction entre la ville et la campagne s'estompe dans un large périmètre autour des métropoles, je l'observerai dans quelques jours dans les villages de l'arrière-pays niçois. Pourtant, même dans ces situations où se crée une continuité de population entre les petits bourgs et le centre-ville, j'ai été frappé par la persistance chez les descendants des anciens ruraux d'un fort esprit villageois attaché aux traditions. En dehors de ces cas particuliers où l'on assiste à une vive augmentation de la population, la plupart des communes rurales ont cessé de se dépeupler il y a une quarantaine d'années, elles regagnent un peu de population et, souvent, d'activité. N'y échappent que des bourgades totalement enclavées, tel Montmorin au bout de la vallée de l'Oule. Quoi qu'il en soit, la timide revitalisation des villages apporte, après la constatation que certaines régions de France résistent beaucoup mieux que d'autres aux tempêtes économiques, un utile correctif à une vision noire monochrome de la situation de notre pays.

Michèle est restée à la mairie où elle participe à la préparation d'une exposition-commémoration de la Grande Guerre inaugurée le lendemain 13 juillet au bourg. Une tranchée y est reconstituée avec des mannequins de poilus équipés, le conflit est évoqué à travers les pages de grands écrivains, Genevoix, Céline, Apollinaire, Barbusse, etc. Je suis impressionné par la qualité de l'ensemble et la pertinence du choix des textes. La pluie commence à se calmer tandis que je discute avec le maire de Thorame-Basse, je rejoins Michèle qui m'emmène admirer les exceptionnelles fresques du XIIᵉ au XVIᵉ siècle de la petite chapelle Saint-Thomas dont elle possède les clefs, tout près de Château-Garnier. Elles représentent sur le haut de la voûte un étonnant Christ Roi, juge suprême assis entre la lune et le soleil. Il porte de la main droite la terre et la croix avec laquelle il l'a sauvée. Sur des panneaux inférieurs, les quatre évangélistes, Luc, Jean, Marc et Matthieu, annoncent la Bonne Nouvelle. Dans une teinte dominante de marron, pourpre, rouge et noir, ces élégantes peintures très bien restaurées, d'apparence presque intacte, sont d'une grande finesse. Pendant ce temps, le mari de Michèle a fait chauffer le four à pain du logis dans lequel mijotera la cuisine du soir. Le dîner avec une de leurs amies est occupé à parler des territoires à l'heure de la construction européenne, de la mondialisation et de la bétonisation de la côte méditerranéenne. J'ai face à moi des gens qui aiment leur région, parfois préoccupés mais jamais découragés, infatigables à exploiter toutes les perspectives d'une revitalisation du « pays ». Veillé par ma petite princesse, je m'endors empli d'optimisme et d'énergie. J'en aurai besoin car l'étape de demain s'annonce « sérieuse ».

Vers la vallée du Var,
un 14 Juillet à la hauteur

J'ai choisi de faire d'une traite le trajet jusqu'à Annot, dans la vallée de la Vaïre, en passant par le petit village d'Allons. Son nom m'est en effet apparu dans la continuité de mon point de départ en 2013, Givet ! Je commence par longer l'Issole vers le sud, puis m'élève à l'est jusqu'à un col de forêts et d'alpages vers quinze cents mètres où des aboiements me font craindre d'avoir à nouveau à danser avec les patous. Fausse alerte, ce ne sont que d'inoffensifs chiens bergers rassembleurs de troupeaux, je puis descendre sans encombre jusqu'au bourg d'Argens en pleins préparatifs des festivités de la fête nationale. De là, je suis la Sasse vers le sud à distance et à flanc de coteau jusqu'à sa confluence avec le Verdon que je franchis pour rejoindre Allons au sud-est, le long du torrent l'Ivoire. Je suis interpellé dans cette bourgade par un groupe de garçons et de filles d'abord intéressés exclusivement par ma peluche, puis qui s'informent, curieux, de ce que fait sur les routes, sac au dos avec son doudou, un homme qui pourrait être leur grand-père. Ils ne savent pas exactement où est la pointe du Raz mais devinent que c'est très loin. Quant à Menton, chose plus étonnante, ils n'ont jamais entendu parler de cet endroit où je serai dans sept jours. Après que je les ai assurés que mon vagabondage n'est pas le résultat d'un pari sponsorisé, ils compatissent de ce que le dénuement réduise un monsieur de mon âge à se déplacer à pied. Il me reste encore à franchir, après Allons, un dernier et rude verrou à proximité de la colle d'Annot avant de plonger sur la vieille cité que je contemple à neuf cents mètres sous mes pieds. À partir d'Annot, je ferai en général étape dans de petites auberges car, en ces lieux touristiques, les maisons d'hôtes sont souvent des établissements luxueux conçus plus pour accueillir des touristes en villégiature que des randonneurs.

On me sait patriote. Notre fête nationale est de la sorte pour moi une date importante, au même titre que la fête des travailleurs le 1er mai. Or je suis, cette année comme en 2013, perturbé dans ma dévotion républicaine par ma traversée pédestre du pays. Certes, je pourrais assister au feu d'artifice puis aller danser au bal des pompiers d'Annot. Je ne sais pas trop quelle citoyenne accepterait l'invitation du presque septuagénaire vagabond, mais la ferveur patriotique des belles Provençales me permet de caresser néanmoins quelque espérance, sans doute alors au prix d'une bouderie de ma princesse. Rien de tout cela, cependant, j'ai honte de l'avouer : en ce 13 juillet, pendant le spectacle pyrotechnique, comme des centaines de millions de messieurs et un peu moins de dames à travers le monde (j'ai par conséquent installé plutôt ma pouliche à la fenêtre), je regarde la retransmission de la finale de la coupe du monde de football, assez belle au demeurant, entre les Allemands et les Argentins. Les premiers se moquent de notre fête nationale alors que les seconds sont sensibles, comme les Américains, au « Bastille Day ». Ils ont de ce fait mon soutien mais je dois reconnaître que nos amis et partenaires allemands méritent leur victoire. Tout cela pour dire que je maugrée plutôt contre la pétarade du bouquet final qui m'empêche d'entendre les commentaires de la retransmission. Le match terminé, je m'endors du sommeil du juste. Pas si grave, après tout. S'exclamer « Oh la belle bleue… ! » et guincher après est-il à la hauteur de ce que l'on célèbre en ce jour ? Que nenni ! Les Parisiens révoltés de 1789 ne dansaient pas, eux, ils s'en prenaient à un symbole de l'absolutisme honni, avec rage et une certaine sauvagerie. Marquer l'événement demande de ce fait un peu de hauteur. Or, manque de chance, après l'étape corsée que je viens de parcourir entre Château-Garnier et Annot, je crois le chemin jusqu'à Entrevaux être des plus paisibles. Sur la carte au 1/100 000 dont je me sers, il m'apparaît tout droit et plein est en passant par un col à douze cent quatre-vingts mètres, un jeu d'enfant pour qui vient de franchir tout le Massif central, les monts de l'Ardèche et qui saute de crête en crête et de col en col dans les Alpes du Sud depuis près de deux semaines. Indigne d'un événement aussi considérable que le 14 Juillet, crains-je. Alléluia, je me trompe, il me sera en définitive donné d'honorer la prise de la Bastille comme elle le mérite.

D'abord, naïvement confiant, j'ai à peine étudié la carte, ai omis de préparer le parcours et de l'inscrire sur mon appareil GPS. Je me sens par conséquent surpris mais soulagé de ce que le chemin commence à s'élever rudement peu après Annot pour emprunter un trajet vertigineux en balcon des gorges de la Galanche dans lesquelles aboutissent des failles et des crevasses profondes qu'il convient de traverser. Une sente descend dans la caillasse le flanc gauche des gorges jusqu'à la route qui passe la rivière par le pont Joseph. Un sentier remonte ensuite vivement le long du ravin de Saint-Jean, alternant des pentes ascendantes sérieuses et des redescentes pour passer les sillons tracés par plusieurs torrents. Enfin, la rampe finale vers un premier col et la chapelle Saint-Jean-du-Désert ne déçoit pas le marcheur soucieux de marquer par son effort la solennité du jour. Il est déjà onze heures lorsque j'atteins le sanctuaire, un ermitage et un lieu de procession ; cela ne fait pas trop mon affaire car, certain d'être à Entrevaux pour la pause méridienne, je n'ai emporté aucun casse-croute et ai réservé une table dans la petite cité fortifiée. Qu'à cela ne tienne, il ne me reste en principe que dix kilomètres à parcourir en descente continue selon le tracé balisé d'un GR. Or je suis, malgré mes genoux moroses, un aussi bon descendeur que je grimpe vite, je devrais arriver au but au plus tard vers treize heures trente, une heure encore raisonnable pour se présenter au restaurant. Toujours plein est vers le soleil, je suis par un sentier ascendant le balisage rouge et blanc jusqu'au col Saint-Jean, puis m'engage sans hésiter dans la descente vers le festin de fête nationale qui m'attend dans la vallée et dont j'imagine la succulence en salivant abondamment.

Las, le soleil me joue un tour dont, m'a-t-on dit, il est coutumier : il tourne. Alors qu'au petit matin il m'indiquait sans ambiguïté ma direction plein est, il a, à cette heure, glissé sans crier gare vers le sud si bien que, du col où il me conduit, un mauvais sentier descend dans la direction opposée à celle d'Entrevaux. Inconscient du piège tendu, je l'emprunte sans hésiter. Après avoir perdu deux cent cinquante mètres d'altitude, un doute m'étreint soudain qui me pousse à consulter enfin l'engin magique, le GPS que j'ai omis d'utiliser jusque-là, confiant dans la simplicité du trajet et dans mon sens de l'orientation. Ce qu'il me révèle est un choc ; j'évite d'éclater en imprécations de peur d'y laisser trop d'énergie, et aussi par souci de ménager l'immuable bonne humeur de ma petite amie, je serre les dents et remonte. Sans doute honteux alors de m'avoir trompé, le soleil se cache et l'orage éclate : éclairs, tonnerre, grêle, pluie généreuse, j'ai droit à mon feu d'artifice personnel tandis que je descends par le large chemin qu'utilisent les processions qui se rendent au sanctuaire, arrosé comme l'étaient par les bateaux-pompes les grands navires transatlantiques lorsqu'ils entraient dans le port de New York. Lorsque je parviens sur la rive du Var puis à Entrevaux, l'après-midi est bien engagé, j'ai parcouru près de trente kilomètres par un itinéraire malaisé, dans un superbe paysage de gorges, de falaises et de ravins, j'ai monté plus de onze cents mètres et descendu plus encore, je suis affamé et trempé... Ah, quel beau 14 Juillet c'est là ! La nuit venue, la pluie cesse miraculeusement pour permettre la présentation du spectacle pyrotechnique donné depuis la ville ancienne, au-delà de l'ancien pont-levis sur le Var, de la porte fortifiée de la ville et du chemin qui mène à la citadelle. Une apothéose.

La vallée interdite... aux marcheurs

Depuis Entrevaux, la vallée du moyen Var est rectiligne d'ouest en est jusqu'à son inflexion plein sud après Villars-sur-Var et à son entrée dans le défilé du Chaudan. C'est là en principe ma direction générale mais il n'est pas dans mon intention de la suivre, ce qui tombe bien car cela n'est possible qu'au risque de sa vie. Trois voies la parcourent à l'exclusion de toute autre : le Var, le petit train touristique des Pignes qui va de Digne à Nice, et la route nationale 202. Les piétons ne peuvent guère avancer sur la voie unique en jouant au petit train, c'est pour l'avoir ignoré qu'une joggeuse sera tuée peu après mon arrivée à Menton. Même s'ils avaient le pouvoir de marcher sur les eaux, le Var est trop bas, encombré de bancs de galets, pour se prêter à cet exercice. Quant à la route, il ne faut pas y penser. Les automobiles y circulent à vive allure et la vallée est en général si étroite qu'aucun bas-côté n'a été ménagé. Tout piéton qui s'y aventure est en grand péril, ce fut mon cas lorsque je rejoignis cette route par erreur trois kilomètres avant Entrevaux. Compte tenu des dangers de ce bref parcours, y cheminer plus eût été tenter le diable. Qu'à cela ne tienne, pensera peut-être le lecteur, il n'y avait qu'à prendre le petit train des Pignes ou bien faire de l'auto-stop. En fait, j'emprunterai effectivement le petit train sur une dizaine de kilomètres entre Villars-sur-Var et la gare de « Plan-du-Var » car c'est à ce niveau seulement que l'on trouve une faille dans la paroi montagneuse orientée ici du nord au sud par où me faufiler vers Sospel. Cependant, c'est déjà la mort dans l'âme que je me suis résolu à cette petite entorse à ma marche autonome de Bretagne à Menton, pas question d'aller au-delà. La même réticence me retient de faire de l'auto-stop dont j'ai pourtant été un fervent adepte entre les âges de quinze et vingt ans. Pourtant, nul doute que mon âge respectable m'eût préservé alors des rencontres embarrassantes, masculines plus que féminines, dont j'ai eu alors à me dépêtrer. La seule solution, par conséquent, est de sortir à chaque étape de la vallée par sa face exposée au nord (ubac) ou au sud (adret), la longer à distance et en hauteur, puis y redescendre. Le programme s'énonce aisément, il se met en pratique avec plus de difficulté. En effet, cette fameuse vallée est fort profonde. Le Var y coule entre quatre cents et deux cent cinquante mètres d'altitude d'ouest en est, les cols sur les côtés sont de l'ordre de mille trois cents mètres, ce qui signifie qu'avancer à vol d'oiseau de huit à neuf kilomètres exige des débauches d'efforts éprouvants, dont des dénivelés ascendants et descendants supérieurs à mille mètres car il faut en général passer un col pour quitter la vallée et un autre pour y revenir, et un doublement ou triplement des distances parcourues. S'il m'avait fallu progresser avec cette efficacité depuis mon départ, cinq mois m'eussent été nécessaires pour boucler ma diagonale.

Et pourtant, le rude terrain arpenté et les perspectives observées, les sensations ressenties au cours de ma progression par sauts presque plus hauts que longs sont de somptueuses merveilles. En bas, excepté les petits villages accrochés à l'adret qui se succèdent, tous pittoresques, tout n'est que bruit, vrombissements, chaleur lourde, impression d'étouffement. J'imagine la pollution compte tenu de l'importance de la circulation automobile dans ce volume restreint du fond de vallée. En montant, l'émerveillement est au détour du sentier, qui vous fait oublier aussitôt le bruit de forge de votre respiration et la sueur qui, dans la chaleur de l'été méditerranéen, dégouline abondamment et trempe vêtements et sac. Ce sont d'abord les points de vue à couper le souffle, sur les hautes falaises et les ravins qui s'élèvent depuis le fleuve, sur les sommets du Haut-Var et, au nord-est, du Mercantour, les brumes légères qui stagnent dans les vallons. Dans la forêt d'ubac que dévalent de multiples torrents, c'est l'époque des girolles. C'est par elle que je débute pour me rendre d'Entrevaux à Puget-Théniers, la première ville des Alpes-Maritimes de ma diagonale, une indication supplémentaire qu'elle touche à sa fin. Un raide trajet de GR me conduit d'abord au col du Trébuchet d'où je longe la crête en contrebas au sud par une succession d'assez bons chemins jusqu'à la chapelle Saint-Saturnin. C'est un humble édifice cubique, à la toiture peu inclinée, ocre, aux embrasures en pierre plus foncée gris et brun, sur un modèle trouvé en maints endroits dans les montagnes de l'Alpe provençale. Totalement isolée sur une butte qui domine de sèches prairies à moutons, au milieu d'un maquis lâche, elle dégage sous le soleil ardent de la mi-journée une paix sereine et simple qui m'amène à y faire halte pour la pause méridienne. J'installe la princesse près de l'édifice, face à la pente, tandis que je m'adosse à un muret ombragé, tâchant de profiter pleinement de l'instant, l'un des derniers de ces moments enchantés que je m'apprête sans doute à ne plus vivre. « Ô temps, suspends ton vol... » Il ne l'a jamais suspendu, hélas. La suite de mon parcours emprunte en grande partie d'anciens chemins de bergers aujourd'hui délaissés, puis le maquis dans une pente rocailleuse jusqu'à récupérer une autre trace de GR qui monte au col de Rigaudon puis, neuf cent cinquante mètres plus bas, conduit à Puget-Théniers. Malgré ma hantise de la chute de trop, les articulations surmenées, je descends très vite jusqu'à une piste forestière où, soulagé, je relâche mon effort et mon attention, et glisse une fois encore sur les gravillons fins. La douleur à l'épaule droite restée sensible depuis la Creuse et l'Auvergne est sur l'instant aiguë, elle fait place à un endolorissement exacerbé et pénible, cette fois encore le moral est atteint. L'aubergiste qui m'accueille a débuté des études de biologie et me connaît bien à ce titre. Il est manifestement heureux de ma présence dans son établissement où il tient à m'inviter. Sa gentillesse et sa prévenance contribuent à la dissipation, sinon de ma gêne douloureuse, au moins de mes tristes pensées.

J'ai choisi, pour varier les points de vue, de me rendre à Touët-sur-Var en passant par l'adret, plus sec. Comme partout depuis la Drôme, la montée débute par des ravinements marneux, arborés en ubac et d'une totale aridité ici, d'aspect lunaire. J'ai repéré une trace qui, en principe, grimpe droit dans la pente mais qui finit par se perdre dans les rides profondes de ce terrain désolé et d'aspect hostile. Aux premiers contreforts rocheux, je débouche en bas d'un couloir raide mais praticable à l'aide des mains, ce qui est rien moins qu'évident avec mon épaule délabrée. Je m'y engage pourtant pour me retrouver bloqué cinquante mètres plus haut par des escarpements où la progression m'est interdite. Je redescends, ce qui est bien entendu plus périlleux que monter, j'hésite, je cherche, je m'engage dans une autre voie sous un soleil brûlant. Ma vaillance à grimper avec obstination dans la rocaille et les éboulis est récompensée, elle me fait atteindre d'un seul coup, sans crier gare, l'idyllique plateau de Dina au-delà de mille mètres. Là pousse une herbe dense que les plumets de pollen font apparaître presque blanche. Des bergeries, isolées ou par groupes de trois ou quatre, sont visibles un peu partout, ruinées dans la pente, rénovées et pimpantes sur le plateau. Au nord comme au sud, la montagne est constellée de petites chapelles comme celle d'hier dédiée à saint Saturnin. Certaines sont encore l'objet de la dévotion des fidèles et bien entretenues. Lorsqu'il est possible d'en voir l'intérieur, voire d'y pénétrer, on est ému de la fraîcheur et de la grâce de fresques qui témoignent de la foi naïve des bergers et des villageois qui les ont édifiées et décorées. Saint-Junien, blanche et pimpante, est érigée face à la vallée sur une pelouse épaisse, face à un vieil arbre mort statufié par un socle en pierre. L'endroit invite à la contemplation et à la méditation, ma princesse et moi n'y résistons pas. Le contraste entre le paradisiaque plateau de Dina et le sévère flanc nord de la vallée du Var évoque ces terres oubliées, sortes de paradis terrestres protégés par leur isolement et que des explorateurs intrépides découvrent, dans des romans d'aventures, au cœur de montagnes hostiles, voire dans les entrailles de la terre. La descente est comme toujours longue et raide, parfois vertigineuse, pénible. Quitter la relative fraîcheur aérée des cimes pour plonger dans la vallée encaissée donne l'impression de pénétrer peu à peu dans un four qui gagne un degré à chaque hectomètre descendu dans un air de plus en plus immobile. J'éprouve même alors de la compassion pour les cigales qui s'agitent dans une telle fournaise. Cependant, une fois encore l'effort est récompensé, ici par le spectacle grandiose des gorges du Cians bordées de hautes falaises à pic et déchiquetées que j'embrasse du regard en enfilade depuis le sentier qui rejoint la confluence du Var et du Cians. Au loin, barrant la suite des gorges et des hautes vallées, je crois reconnaître les sommets arrondis du mont de Lieuche et du Mont. Je n'ai trouvé pour m'accueillir à l'étape que le vaste terrain de camping-club équestre de l'Amitié installé dans le lit même du Var, à quelques mètres seulement au-dessus de l'eau. J'y ai réservé comme logis un « chariot » du type de ceux utilisés par les émigrants à la conquête de l'Ouest américain, à l'évidence mieux équipé, cependant. Je l'atteins juste à temps pour assister, à l'abri, à un violent orage de type tropical qui, d'un coup, donne à la rude vallée du Var un aspect apocalyptique, la plonge dans une pénombre que zèbrent les éclairs tandis que le grondement du tonnerre se répercute entre les parois sombres des montagnes bordant le fleuve. Une accalmie me permet de remonter jusqu'au prodigieux village médiéval de Touët-sur-Var, comme gravé dans la falaise à la manière d'un bas-relief. Tout y est étonnant, ses ruelles couvertes en escaliers, ses placettes, ses belles demeures ocre couvertes de tuiles romaines, ses fortifications, ses portes et panneaux peints. Il est le plus remarquable de tous les villages perchés de haute Provence et de l'arrière-pays niçois qu'il m'a été donné de visiter durant mon périple, je conseille à mes lecteurs qui passent dans la région de ne le manquer pour rien au monde.

Ma dernière étape dans la vallée du moyen Var me conduit à Villars-sur-Var, petite ville accrochée elle aussi au flanc nord de la vallée. Je m'y rends par un petit sentier de l'adret sans difficulté majeure, qui commence dans la falaise au-dessus de Touët, puis qui passe devant plusieurs chapelles pour atteindre la baisse de Saint-Antoine et mener, de là, par le val de Thiéry, jusqu'à Villars. Une terrasse d'auberge à l'ombre des platanes de la place nous accueille, ma pouliche et moi, pour prendre le pastis et déjeuner d'une succulente cuisine niçoise. La luxueuse maison d'hôtes Le Château est toute proche. Véronique et Michel qui suivent mon parcours sur les réseaux sociaux depuis mon départ de Bretagne ont convié à me rencontrer des amis et des édiles de Villars, occasion pour moi d'enrichir mon analyse de l'évolution de ces villages et petites cités de l'arrière-pays niçois, bien sûr en vive reprise démographique. La majorité des habitants actifs travaille sur la côte facilement accessible par la route et le train. Cependant, la municipalité consent un effort important pour préserver les terrains agricoles, propices ici à la culture de la vigne, au maraîchage et à l'horticulture. Dans ce contexte, la grande question est celle de l'intégration du canton de Villars dans la future métropole niçoise, le grand Nice que son maire verrait bien englober les communes de la vallée du Var, de la Vésubie, de la Tinée, des Paillons, de la Bévéra et de la Roya. Le débat est aussi vif que la crainte d'une perte de l'âme de ces « pays » et que l'espoir d'une vive contribution au développement des bourgs et des cités. Les résistances restent pourtant grandes.

La commune sans chemin

Depuis que, sur les panneaux routiers croisés lorsque je redescends chaque soir dans la vallée, je lis : Nice, 40 km, 30 km, 16 km aujourd'hui, psychologiquement je me considère arrivé au terme de ma diagonale entre deux mers et j'ai tendance à considérer les étapes qu'il me reste à parcourir jusqu'à Menton comme quantité négligeable. C'est une erreur, les parcours en montagnes russes qui m'ont permis de progresser d'Entrevaux à Villars-sur-Var auraient dû me servir de leçon. Aujourd'hui pourtant, ma sérénité était parfaite. J'avais eu des difficultés en préparant mon parcours pour décider de mon itinéraire après Villars. Un long sentier aurait en principe pu me permettre de m'élever jusqu'à la Madone de Fenestre, d'où je pouvais gagner Sospel en deux étapes. Cependant, je n'avais pu à l'époque sécuriser mon hébergement et avais demandé conseil au comité départemental de randonnée pédestre des Alpes-Maritimes. On m'avait alors avisé de ce qu'un itinéraire balisé permettait de gagner Levens depuis Plan-du-Var où le train des Pignes m'amènerait. J'en retrouvais trace sans difficulté sur des cartes au 1/25 000 et sur celle de l'appareil GPS et m'étais résolu à cette solution. Le petit train a ici la ponctualité de celui qui parcourt la campagne irlandaise dans le film *L'Homme tranquille* de John Ford, je l'attends une vingtaine de minutes sans impatience. Avec la complicité bienveillante du conducteur, j'installe le temps d'une photo ma gentille princesse aux commandes de la motrice, et nous voilà partis pour ce bref et pittoresque trajet. À Plan-du-Var, hameau sans âme de la commune de Levens, je repère aisément, face à la gare, le départ du bon chemin balisé en jaune et correctement signalé par un panneau des services départementaux. Il est censé nous conduire au bourg en un peu plus de dix kilomètres et quatre cent cinquante mètres de montée, un jeu d'enfant escompté qui m'a incité à réserver imprudemment une table pour déjeuner. Je commence de ce fait l'ascension la fleur au fusil pour voir mon enthousiasme douché bien vite : avant même d'avoir quitté le hameau, la sente est totalement barrée par tout un système de filets métalliques anti-avalanche solidement boulonnés dans la roche. Aucun passage, même acrobatique, n'est ménagé pour les randonneurs. Je m'obstine pourtant, tente d'emprunter des sentes improbables qui ne conduisent nulle part ou, ce qui revient au même, butent sur différentes ruines dans la pente. La mort dans l'âme, je redescends et interroge des habitants : « Le sentier pour Levens est coupé, comment faire pour m'y rendre, s'il vous plaît ? – Mais on ne s'y rend plus, monsieur, il a été interrompu, nous le savons ! » C'était pourtant là la seule liaison entre le bourg et son écart (ainsi appelle-t-on les petits villages éloignés des agglomérations dont ils dépendent). Certes, les automobiles peuvent rejoindre Levens en passant par la côte ou en remontant la rive droite de la Vésubie jusqu'à un pont très au nord avant de redescendre au sud par le plateau. Je suis horrifié à la perspective d'avoir à commander un taxi pour parvenir à destination. Je persiste par conséquent à demander à plusieurs personnes s'ils ne connaissent pas un itinéraire pédestre praticable. Ni la carte IGN ni le GPS n'en montrent trace. Un brave homme me suggère alors de m'engager rive gauche dans les gorges de la Vésubie où je dois en principe trouver un chemin montant au canal d'irrigation qui mène les eaux de la rivière jusqu'à Nice et, de là, gagner Levens. Sans garantie, cependant, il n'est lui-même jamais passé par là. C'est cependant une première solution éventuelle à mon dilemme, j'entreprends de remonter la vallée de la Vésubie.

Au début, tout se passe comme annoncé. Un bon sentier, puis des marches fraîchement consolidées par des planches neuves me permettent de m'élever assez rapidement dans les falaises qui bordent l'affluent du Var dont les gorges sont superbes. Mon optimisme revient, renforcé encore lorsque je parviens au fameux canal. Sauf que, au-delà, tout se gâte. Un pont de service me permet de franchir le canal jusqu'à une plate-forme rocheuse fermée de toute part par la paroi abrupte. J'avise d'abord une cheminée d'escalade facile dans laquelle je m'élève. Bientôt, ce n'est plus facile du tout, je reviens sur ma plate-forme de départ. Un examen méticuleux de la situation me permet d'identifier les restes d'une sente taillée dans la roche mais totalement envahie par la végétation méditerranéenne. Il y a à l'évidence bien longtemps que personne n'y est passé. Je serai donc le premier à rouvrir cette voie, je progresse, m'accrochant aux branches des arbustes, tentant d'abattre les ronces par des coups rageurs de mon bâton de pèlerin. J'avance tant bien que mal jusqu'à un torrent de montagne dans lequel je suis bien aise de me rafraîchir. Sauf que l'eau n'est pas fraîche, qu'elle est un peu marron et ne sent pas la rose. Bon, ma gourde remplie au départ fera l'affaire. Au-delà de la rencontre avec ce torrent peu engageant, tout se dégrade encore. Même avec le plus forcené des optimismes, impossible d'identifier ne serait-ce qu'un souvenir de sentier. L'altitude atteinte et ma position sur le GPS me suggèrent néanmoins que je dois être proche maintenant du plateau où tous les espoirs sont permis. Je persévère, remontant le cours d'eau dont la puanteur s'accroît, sautant de pierre en pierre, remontant lorsque cela est possible sur les rives meubles et embroussaillées, je chois plusieurs fois dans les épineux et les ronces dont je m'efforce de me dépêtrer sans aggraver les griffures et écorchures qui donnent à ma peau un aspect rouge sanguinolent. Je me rappelle avoir affirmé lors de mon périple 2013 que jamais, malgré le temps exécrable, je n'avais désiré être ailleurs qu'à l'endroit où je me trouvais. Exception, ce matin, j'ai alors vraiment hâte de me tirer du pétrin. J'y parviens enfin, juste au pied de la station d'épuration de Levens dont les effluents en principe traités alimentent le ruisseau suspect dont j'ai remonté le cours. Rarement j'ai été aussi heureux de me trouver en un tel lieu : qui dit station dit chemin pour y conduire, je suis tiré d'affaire. Alors, n'avais-je finalement pas raison d'être optimiste ? Levens fait partie de ces villes de l'arrière-pays niçois maintenant reliées à la métropole départementale par des rubans d'urbanisation continue qui s'insinuent dans les vallées et montent sur les collines. Pourtant son centre est préservé, avec sa fontaine à laquelle je me lave entièrement de la boue et du sang qui me maculent, et ses terrases sous les platanes. Je m'y affale, un peu hagard.

Dans les collines de l'arrière-pays niçois et mentonnais

Toutes les vallées depuis celle du Var après son coude sont désormais orientées du nord au sud, je me dirige plein est vers la frontière italienne, je prends conscience de ce qui m'attend après Levens. La chaleur me fait privilégier un trajet nord un peu plus long et plus élevé que celui initialement prévu mais qui se déroule en partie en ubac ombragé jusqu'au mont Férion d'où j'aperçois pour la première fois, à une altitude d'un peu plus de quatorze cents mètres, la côte méditerranéenne au contour estompé par une légère brume de chaleur. La descente sur le pittoresque village de Coaraze par l'adret au sol rocailleux, instable et aride, est difficile et pénible dans une chaleur pesante ; le déjeuner à l'ombre fraîche des platanes de la place est bienvenu. Il me faut ensuite traverser le Paillon de Contes auquel mènent les incontournables marnes claires arides et ravinées, *li escaillouns* selon l'appellation locale. Faire la différence entre la tranchée par laquelle passer et celles qui mènent à des pentes impraticables exige d'en être familier, tel n'est pas mon cas. Je m'égare plusieurs fois et m'égarerai chaque fois que je me retrouverai sur un tel terrain. Après le plan de

Linéa, une nouvelle ascension dans *li escaillouns* me conduit à la baisse de la Croix et, de là, par un beau sentier ombragé en balcon plein sud, au joli village perché de Berre-les-Alpes. Quoique construit en terrasses successives jusqu'au sommet d'une butte entre les vallées du Paillon de Contes et de l'Escarène, Berre-les-Alpes est, comme Levens, gagné de nos jours par les bandes d'urbanisation en provenance de la côte. Cependant, la volonté de conserver une tradition villageoise m'y a semblé particulièrement forte. L'hôtel Beauséjour où je suis hebergé et bichonné se trouve au sommet du bourg. C'est l'auberge-bar-marchand de journaux d'une bourgade rurale à des années-lumière des établissements de la Riviera, les habitués y discutent les nouvelles en dégustant leur apéritif. La cuisine est familiale, régionale, abondante, excellente et à prix modéré. Je lie conversation avec un client, ancien commissaire de police à Monaco, qui entreprend de me parler de son village, de sa volonté opiniâtre de conserver ses traditions, malgré la marée montante de la ville dont il commente, désolé, les manifestations depuis la petite place sommitale en face de l'hôtel. Je quitte les lieux au matin le cœur serré, je m'apprête maintenant à abandonner de façon radicale le monde rural que je n'ai guère quitté depuis deux mois et demi. Il me faut d'abord descendre par de redoutables *escaillouns* dans la vallée du Paillon de l'Escarène, je me perds lamentablement et suis contraint de rebrousser chemin quatre à cinq fois avant d'arriver enfin à la cité de L'Escarène et franchir son Paillon. Je ne fais pas beaucoup mieux pour remonter, au terme de maintes errances, sur la ligne de crête de l'autre côté de la vallée pour la suivre en direction de la baisse du Pape qui domine la vallée de la Bévéra et Sospel. Le sentier est bordé d'androsaces des Alpes, roses striées de violet. J'aperçois face à moi en le parcourant le massif de l'Authion et, plus loin, les sommets d'environ trois mille mètres du Mercantour, peut-être de l'Argentera, en partie enneigés. J'ai droit au col à un petit comité d'accueil d'habitants de Sospel qui sont venus à ma rencontre. Le pique-nique pris, nous dévalons à vive allure par un tracé de GR vers la ravissante petite cité. Le genou gauche me fait souffrir mais il tient, il tiendra bien maintenant jusqu'à Menton, ce dont j'ai douté à plusieurs reprises depuis des semaines, surtout depuis que j'ai eu à dévaler chaque jour plus de mille mètres dans des pentes impitoyables.

Sospel a conservé tout son cachet d'ancienne ville épiscopale ligure dont la prospérité tenait à sa position de passage obligé sur la route royale du sel entre Nice et Turin. La voie empruntait le Pont-Vieux sur la Bévéra, passait sous sa tour centrale et traversait la ville par ce qui est devenu la rue de la République tracée entre d'élégantes demeures patriciennes. Au sud de la rivière, la cathédrale Saint-Michel, un chef-d'œuvre de l'art baroque superbement restauré, est précédée d'une belle place entourée d'arcades du Moyen Âge. Du côté nord, la place Saint-Nicolas au pavement de galets colorés est bordée de vieilles demeures sur arcade, une fontaine médiévale trône en son centre. Un peu plus loin, l'ancienne chapelle des Pénitents-Blancs, la chapelle Sainte-Croix de nos jours, contient un fort beau gisant baroque et témoigne de la splendeur passée de la cité qui ressort aujourd'hui de sa torpeur : sa population de plus de trois mille deux cents habitants en 2012 en a gagné près de mille depuis l'étiage des années 1970-1980. Le soir à l'hôtel, Princesse mascotte et moi, c'est-à-dire les deux manifestations de la même personne, les deux facettes de la même passion, entrent conjointement dans le deuil de leur commune aventure, celle de la peluche toujours souriante et optimiste, amoureuse des fleurs et des espaces, et celle de l'être de chair tendu comme jamais par la volonté farouche de terminer ce qu'il avait entrepris. Le second a parfois douté, il en a bavé ; la première, jamais. Tous deux communient en ces instants dans l'émerveillement des images désormais inscrites dans leur mémoire et dans la consternation de la fin prochaine de leur cheminement enchanté, dans la crainte aussi de leur réunification définitive qui cantonnerait la merveilleuse pouliche au rôle de jouet en peluche abandonné dans un coin.

Pourquoi redescendre ?

J'ai déjà parcouru deux fois le trajet du GR 52 entre Sospel et Menton, il m'est familier. Le bon sentier quitte la vallée de la Bévéra à la sortie de la ville pour s'élever à l'est dans une belle forêt d'ubac jusqu'au col du Razet à proximité de la frontière italienne qu'il suit jusqu'à Menton. J'atteins facilement le col frontalier du Trétore à onze cent soixante-dix mètres d'altitude par un chemin en balcon dont le tracé alterne les passages boisés entre les pins et les traversées d'alpages. La température est fraîche, le ciel bleu très pâle, le soleil encore bas sur les reliefs ligures a entrepris sa chasse matinale vers le couchant des ombres de la nuit. J'hésite. J'ai le sentiment que mon amie dans mon dos proteste vivement à la perspective qu'elle entrevoit, celle d'une plongée définitive jusqu'à la mer : « Qu'irions-nous y faire, Axel ? Comment peux-tu envisager de quitter nos montagnes ? » Ma mascotte n'a pas tort, c'est aussi ce que je pense puisqu'elle est moi. Tant pis pour le GR, je bifurque vers l'est, en Ligurie, dans le but de m'élever plutôt jusqu'au sommet du Gramondo qui culmine à un peu moins de quatorze cents mètres. Le Grand-Mont plutôt que le déclin, un ultime refuge ! Je suis en effet déjà venu là, j'ai depuis quarante ans la passion de la haute Tinée, de l'Argentera, du Mercantour et des montagnes françaises et italiennes qui bordent la Riviera. Mes amours d'antan y sont liées, elles aussi. Parvenu sur la cime, je m'assois un très long moment, ma princesse à mes côtés, comme incapable de me détacher de ces superbes reliefs des Alpes-Maritimes frontalières qui plongent droit dans la Méditerranée. À mes pieds, à moins de dix kilomètres à vol d'oiseau, les villes côtières des deux pays, presque de Vintimille à Monaco, leur urbanisation extensive, gangrène qui remonte les vallées de plus en plus haut à l'assaut des villages perchés de l'arrière-pays, leur charme mais aussi l'étalage insolent des inégalités. Pourquoi descendre, qu'est-ce qui m'attend qui en vaille la peine, en bas, comment supporter cette ré-immersion dans la folie d'un monde qui n'apprend rien, jamais, au moins en ce qui concerne les démons de l'«âme humaine»? L'argent insolent et tout-puissant qui règne partout en maître et dont la Riviera offre une paroxystique illustration est une donnée avec laquelle il faut bien vivre mais il ne recèle aucune beauté. Il n'hésite pas même à la saccager, voire à engendrer une incroyable laideur pour sa seule satis-faction propre. Nos montagnes, leurs orchidées et leurs ancolies sont belles, comment penser les abandonner? Pendant que ma princesse et moi poursuivions notre rêve dans la passion partagée, le monde s'est déchiré, le pays s'est délité un peu plus encore ; quelle singulière idée que de penser le réinvestir !

Et puis, en bas, il y aura moi, si j'y descends. Comment aimer ce qu'il sera, ce que je serai ? Un septua-génaire qui, quelle que soit son énergie, risque fort de s'engager dans la voie des abandons successifs jusqu'à celui de la vie. Ma diagonale entre deux mers a sans doute constitué une apothéose... ultime. Mon comp-teur GPS indiquera à Menton que j'ai parcouru deux mille cinquante-sept kilomètres et monté quarante-trois mille quatre-vingt-onze mètres, c'est-à-dire des-cendu le même dénivelé cumulé. Mes genoux jamais épargnés durant toute mon existence ont été héroïques, ils lâcheront bientôt, me contraignant à marcher une semaine durant avec des cannes anglaises. Je ne le sais pas encore mais le crains déjà. Une bonne rééduca-tion me permettra sans doute de compenser en grande partie la rupture d'un ligament majeur de la coiffe des rotateurs de l'épaule mais la lésion est définitive. Mon état général est, sinon, excellent, je n'ai pas perdu un gramme de mon poids mais les ratés de certaines bielles de la « machine-bonhomme » rendent fort improbable la répétition d'une telle aventure. Cette année, la satisfaction des petites victoires remportées avec l'aide de Princesse mascotte sur moi-même et ma carcasse a accru l'intensité de mes sensations, l'idée de ne plus jamais les connaître m'est incroyablement douloureuse. Mes juments ont vieilli avec moi, l'âge de la retraite est venu pour elles aussi, je dois faire le deuil également de mes plaisirs et de mes émotions de cavalier. De façon générale, les joies qu'il me reste à connaître en bas risquent de m'apparaître de plus en plus faibles en regard de celles que j'ai vécues, le flot du bonheur possible s'est déjà largement écoulé. En un mot, ce sera moi, en bas, avec mon âge et ma vie mais sans ma princesse alors évanouie. Tandis qu'ici, en haut, je suis elle, encore jeune, presque invulnérable, j'ai surmonté tous les obstacles, je me suis rassasié d'efforts, de beauté, de rencontres, à nouveau j'ai été heureux. Ma peluche enchantée intervient alors une fois de plus : « N'aie pas peur, Axel, tu ne m'as pas quittée, je ne te quitterai pas. Ce n'est pas dans l'éther intersidéral que je m'apprête à m'évanouir mais en toi que je me réintégrerai. Je te le promets, jusqu'au dernier jour, tu resteras un peu moi. »

Mes yeux scrutent les paysages tandis que ma pensée les investit d'une signification en résonance avec mes souvenirs, mes aspirations, mes craintes et mes regrets. Je m'efforce de me fondre avec le sol de la cime et sa végétation rase de sorte que rien ne puisse m'en décrocher pour me précipiter dans la tourmente du monde d'en dessous. Puis tout s'estompe, la brume de mer envahit rapidement d'abord les vallons puis les monts eux-mêmes, masque les perspectives, celles de la côte, de la montagne, de mon esprit, aussi. Plutôt le brouillard que la certitude du pire ! Dans les nuages, on ne voit plus, le rêve redevient possible, mon amie l'a ravivé. C'est ainsi qu'est levé le charme qui me collait au roc. Avec un grand soupir, je me lève, amarre Princesse mascotte au sac que je remets sur mon dos, j'empoigne mon bâton et, presque à tâtons tant la visibilité est devenue faible, je dégringole aussi rapidement que je le peux vers Castellar, petit village dominant de trois cent cinquante mètres la ville de Menton et que j'atteins alors que l'orage se déchaîne. Sombre et puissant, il est à l'unisson de mon âme, dévastateur mais malgré tout prometteur. En effet, le soleil est revenu le lendemain, ma répulsion à m'« abaisser » jusqu'à la mer aussi. De Castellar, un bon chemin rejoint Menton en un peu plus d'une heure, il m'inspire du dégoût. Je remonte de quatre cents mètres vers la frontière, jusqu'au Berceau et au plan de Leuze. Derniers efforts, dernier panorama somptueux. J'embrasse à mes pieds la côte depuis Monaco et son rocher, Roquebrune-Cap-Martin et la vieille ville de Menton au-dessus du port. Je dois maintenant me résoudre à l'inéluctable, je dévale la pente raide, je suis à Menton, les pieds dans la Méditerranée comme je me l'étais promis, le jour que j'avais annoncé. Me voici en définitive sur le plancher des vaches, dans l'univers des fauves, c'est aussi le mien, il va bien falloir que j'y vive.

Table

Cet ouvrage a été composé
par PCA à Rezé (Loire-Atlantique)
et achevé d'imprimer en France
par CPI Brodard et Taupin
à La Flèche (Sarthe)
pour le compte des Éditions Stock
31, rue de Fleurus, 75006 Paris
en mars 2015

Stock s'engage pour
l'environnement en réduisant
l'empreinte carbone de ses livres.
Celle de cet exemplaire est de :
700 g éq. CO$_2$
PAPIER À BASE DE   Rendez-vous sur
FIBRES CERTIFIÉES   www.editions-stock-durable.fr

Imprimé en France

Dépôt légal : avril 2015
N° d'édition : 01 – N° d'impression : 3009978
28-07-2230/3